HARRAP

Study Aids

PORTUGUESE
VOCABULARY

by
Sue Tyson-Ward

with
Maria Júlia Gilham

HARRAP

This edition published by Chambers Harrap Publishers Ltd 2004
7 Hopetoun Crescent, Edinburgh, EH7 4AY

ISBN 0245 60738 2

Project editor: Patrick White
Prepress: Kirsteen Wright

Designed and typeset by Chambers Harrap Publishers Ltd
Printed in Great Britain by Clays Ltd, St Ives plc

INTRODUCTION

This Portuguese vocabulary book has been compiled to meet the needs of those who are learning Portuguese and is particularly useful for those taking examinations. The basic vocabulary for various levels of examination is fully treated in this book.

A total of over 6,000 vocabulary items divided into 66 subject areas gives a wealth of material for vocabulary building, with the words and phrases listed being totally relevant to modern Portuguese. The majority of vocabulary items are listed in thematic groupings within each section, thus enabling the user to develop a good mastery of the relevant topic.

Whilst European Portuguese is given as the main variant throughout this book, where Brazilian Portuguese differs significantly in items of vocabulary, those words are also given in brackets, preceded by BP. European spelling rules have been applied throughout. In sample phrases, the polite, or 'você' form of 'you' (which is also the form used most widely in Brazil) is given, followed by the familiar, 'tu'-form in brackets. Most nouns and adjectives have been given in the masculine, singular form.

CONTENTS

CONTENTS

CONTENTS

1. A DESCRIÇÃO DE PESSOAS
DESCRIBING PEOPLE

ser	to be *(temporary)*
estar	to be *(permanent)*
ter	to have
parecer	to look, to seem
ter aspecto	to look
pesar	to weigh
descrever	to describe
bastante	quite, rather
muito	very, too (much)
demasiado, demais	too
um pouco	a little, a bit
a descrição	description
a aparência	appearance
o ar	look
o aspecto	look
a altura	height
a estatura	size
o peso	weight
o cabelo	hair
a barba	beard
o bigode	moustache
as suíças	sideburns
os olhos	eyes
a pele	skin
a tez	complexion
a espinha, a borbulha	spot, pimple
o sinal	mole, beauty spot
as sardas	freckles
as rugas	wrinkles
a covinha	dimple
os óculos	glasses

as lentes de contacto	contact lenses
jovem	young
velho	old
alto	tall
baixo	small
de altura mediana, nem alto nem baixo	of average height
gordo	fat
forte	well built
magro	thin, skinny
esbelto, elegante	slim
nem gordo nem magro	of average build
musculado	muscular
corpulento	well built
bonito, lindo, belo	beautiful, good-looking, handsome
bonito	pretty
querido	sweet
giro, engraçado	cute
feio	ugly
borbulhento	spotty
macilento	haggard
sardento	freckled
bronzeado	sun-tanned
pálido	pale
enrugado	wrinkled
calvo/careca	bald
ter olhos...	to have ... eyes
claros	light
escuros	dark
azuis	blue
verdes	green
cinzentos	grey
castanhos	brown
castanhos claros	hazel
negros	black
pequenos	small
grandes	large

ter nariz/boca... — to have a ... nose/mouth
  pequeno — small
  grande — large
  curvo — curved
  saliente — prominent
  adunco — hook

com lábios grossos — with thick lips
com lábios finos — with thin lips

como é que ele/ela é?
what's he/she like?

pode (podes) descrevê-lo/la?
can you describe him/her?

qual é a sua (tua) altura?
how tall are you?

meço/tenho um metro e setenta e cinco (de altura)
I'm 1.75 metres tall

peso 70 quilos
I weigh 70 kilos

ele/ela tem cabelo bastante curto
he/she has quite short hair

o homem com barba branca
the man with the white beard

uma senhora com olhos azuis
a woman with blue eyes

ele/ela tem olhos bonitos
he's/she's got beautiful eyes

a menina é magra demais
the girl is too thin

ele/ela parece um pouco estranho/a
he/she looks a bit strange

é um bebé bonitinho
it's a cute/sweet baby

1 A DESCRIÇÃO DE PESSOAS

See also sections **2 CLOTHES AND FASHION, 3 HAIR AND MAKE-UP, 4 THE HUMAN BODY, 6 HEALTH** *and* **62 DESCRIBING THINGS.**

2. O VESTUÁRIO E A MODA
CLOTHES AND FASHION

vestir-se	to get dressed
despir-se	to undress
pôr, vestir	to put on
tirar, despir	to take off
mudar [BP trocar]	to change
provar	to try on
vestir, trazer, usar	to wear
ficar bem	to suit
servir	to fit

as roupas — clothes

o casaco	coat (*full-length*)
o sobretudo, o casaco comprido	overcoat
o impermeável, a capa de chuva	raincoat
a capa	cape
o anorak	anorak
a capa com capuz, o corta-vento	cagoule
o blusão à aviador	bomber jacket
o casaco, o blusão	jacket
o fato [BP o terno]	suit
a saia e casaco	(lady's) suit
o smoking	dinner jacket
o uniforme	uniform
as calças	trousers
as calças de esqui	ski pants
as calças de ganga, os jeans	jeans
as jardineiras	dungarees
o fato de treino	tracksuit
os calções [BP o short]	shorts
o vestido	dress
o vestido de noite	evening dress

a saia	skirt
a saia plissada	pleated skirt
a mini-saia	mini-skirt
a saia-calça	culottes
o pulôver, a camisola [BP a malha]	jumper, sweater
o camisolão, a camisola grossa	polo-neck jumper
a camisola de decote em V	V-neck jumper
o colete	waistcoat
o casaco de malha	cardigan
a camisa	shirt
a blusa	blouse
a camisa de noite [BP a camisola]	nightdress
o pijama	pyjamas
o robe	dressing-gown
o roupão	bathrobe
o biquini	bikini
o fato de banho	swimming costume
o calção de banho	swimming trunks
a roupa interior	underwear
as cuecas	(under)pants
as cuecas [BP a calcinha]	(lady's) pants
o soutien	bra
a camisola interior [BP a camiseta]	vest
a T-shirt	T-shirt
a camisola de algodão, a sweatshirt	sweatshirt
a saiote	underskirt
a combinação	petticoat
as ligas	suspenders
as meias	stockings, socks
os collants	tights
as peúgas [BP as meias]	(men's) socks
as meias	(long) socks
a boina	beret

o boné	cap
o chapéu	hat
o capuz	hood

o calçado — footwear

os sapatos	shoes
as botas	boots
as botas de borracha, as galochas	Wellington boots
as botas curtas	ankle boots
os ténis	trainers
as botas de esqui	ski boots
as sandálias	sandals
as alparcatas	espadrilles
os chinelos de borracha	flip-flops
os chinelos, as pantufas	slippers
um par de	a pair of
a sola	sole
o salto, o tacão	heel
saltos rasos	flat heels
saltos altos	high heels
saltos agulha	stiletto heels

os acessórios — accessories

o chapéu de coco	bowler (hat)
o chapéu de palha	straw hat
o chapéu de sol, o sombreiro	sun hat
o cachecol	scarf *(long)*
o lenço	scarf *(square)*
o xaile	shawl
as luvas	gloves
as mitenes	mittens
a gravata	tie
o laço	bow tie
os suspensórios	braces
o cinto	belt

o colarinho	collar
os punhos	cuffs
o botão	button
o bolso	pocket
os botões de punho	cufflinks
o fecho de correr	zip
os atacadores	shoelaces
a faixa	ribbon
o lenço	handkerchief
o guarda-chuva, o chapéu de chuva	umbrella
a mala de mão, a bolsa	handbag

as jóias — jewellery

a prata	silver
o ouro	gold
a pedra preciosa	precious stone
a pérola	pearl
o diamante	diamond
a esmeralda	emerald
o rubi	ruby
a safira	sapphire
o anel	ring
os brincos	earrings
a pulseira	bracelet
o bracelete	bangle
o broche	brooch
o colar	necklace
o fio, a corrente	chain
o pingente	pendant
o relógio de pulso	watch
as jóias de fantasia, a bijutaria	costume jewellery
o anel de ouro	gold ring
o colar de pérolas	pearl necklace

o tamanho — size

pequeno	small
médio	medium
grande	large
curto	short
comprido	long

largo	wide
largo, amplo	loose-fitting
apertado, justo	tight
aderente	clinging
o tamanho	size
a cintura	waist
o número dos sapatos	shoe size
o tamanho do colarinho	collar size
a medida das ancas	hip measurement
a medida do peito	bust/chest measurement
a medida da cintura	waist measurement

o estilo	**style**
o modelo	model (*person*)
o modelo, o padrão	model, design
o estilo	style
a cor	colour
o tom	shade
o padrão	pattern
o tecido	material
liso	plain
estampado	printed
bordado	embroidered
aos quadrados	check
em xadrez	tartan
às flores	flowered, flowery
com pregas, plissado	with pleats, pleated
às bolinhas	polka-dot
às riscas	striped
elegante	elegant
formal	formal/evening dress
descontraído, informal	casual
descuidado	sloppy
simples	simple
sóbrio	sober
garrido	loud
à moda	fashionable
fora de moda, antiquado	old-fashioned
feito por medida	made-to-measure
decotado	low-cut

a moda / fashion

a moda	fashion
a colecção (de Inverno)	(winter) collection
a indústria de confecção	clothing industry
a costura	dressmaking
a roupa pronta a vestir	off-the-peg clothes
a alta costura	high fashion
o costureiro, o estilista	fashion designer
o alfaiate	tailor
a modista, a costureira	dressmaker
o desfile de moda	fashion show

péugas em algodão/lã
cotton/woollen socks

é de couro
it's (made of) leather

queria uma coisa mais barata
I'd like something cheaper

uma saia que fique bem com esta camisa
a skirt that matches this shirt

qual é o seu tamanho?
what is your size?

que número (de sapatos) calça?
what is your shoe size?

o vermelho não me fica bem
red doesn't suit me

essas calças ficam-lhe (te) bem
those trousers suit you

See also sections **14 LIKES AND DISLIKES, 18 SHOPPING, 63 COLOURS** *and* **64 MATERIALS.**

3. O CABELO E A MAQUILHAGEM
HAIR AND MAKE-UP

pentear o cabelo	to comb one's hair
arranjar o cabelo	to do one's hair
escovar o cabelo	to brush one's hair
pintar o cabelo	to dye one's hair
pintar o cabelo de louro	to dye one's hair blonde
ir ao cabeleireiro	to go to the hairdresser's
cortar o cabelo (no cabeleireiro)	to have a haircut
pintar o cabelo (no cabeleireiro)	to have one's hair dyed
fazer uma ondulação	to have one's hair curled
fazer mechas no cabelo	to have one's hair streaked
fazer uma permanente	to have a perm
secar o cabelo	to dry one's hair
cortar	to cut
mudar o penteado	to change one's hairstyle
acertar	to trim
maquilhar-se [BP maquilar-se]	to put one's make-up on
retirar a maquilhagem [BP maquilagem]	to remove one's make-up
perfumar-se	to put on perfume
pintar as unhas	to put on nail varnish
barbear-se	to shave
lavar o cabelo	to wash one's hair

o comprimento e a cor do cabelo
hair length and colour

ter o cabelo...	to have ... hair
louro/claro	blonde/fair
castanho/castanho avermelhado	brown/chestnut
preto	black
ruivo	red
grisalho	grey
a ficar grisalho	greying
branco	white

ser...	to be ...
louro	blonde
moreno	dark-haired
ruivo	red-headed
careca, calvo	bald

os penteados — hairstyles

ter o cabelo...	to have ... hair
encaracolado	curly
ondulado	wavy
liso	straight
fino	fine
espesso, grosso	thick
pintado	dyed
oleoso	greasy
seco	dry

ter o cabelo à escovinha	to have a crew-cut
o corte (de cabelo)	(hair)cut
o corte a direito	bob
a permanente	perm
a ondulação	curl
a madeixa (de cabelos)	lock (of hair)
os reflexos, as madeixas	highlights
a franja	fringe
o penacho	tuft
a risca	parting
o rabo-de-cavalo	ponytail
o carrapito	bun
a trança	plait, pigtail
os totós	bunches
a pente	comb
a escova de cabelo	hairbrush
a travessa (de cabelo)	hairslide
o gancho de cabelo	hairpin
o rolo	roller
o ferro de frisar	tongs
a peruca, a cabeleira	wig
o champô	shampoo
o amaciador	conditioner

o gel	gel
a laca	hairspray

a maquilhagem [BP a maquilagem]

make-up

o creme de beleza	face cream
o creme hidratante	moisturizing cream
a máscara de beleza	face pack
o pó de arroz	powder
o compacto	compact
a base	foundation (cream)
o blusher	blusher
o bâton [BP o batom]	lipstick
o rímel	mascara
a sombra	eye-shadow
o delineador	eyeliner
a verniz de unhas	nail varnish
a acetona	nail varnish remover
a lixa de unhas	nail file
o perfume	perfume
a água-de-colónia	cologne
o desodorizante [BP o desodorante]	deodorant

fazer a barba

shaving

a barba	beard
o bigode	moustache
a navalha de barba	razor
a máquina de barbear eléctrica	(electric) shaver
a lâmina de barbear	razor blade
o pincel de barba	shaving brush
a espuma de barba	shaving foam
o loção de barba	aftershave

4. O CORPO HUMANO
THE HUMAN BODY

as partes do corpo	parts of the body
a cabeça	head
o pescoço	neck
a garganta	throat
a nuca	nape of the neck
o ombro	shoulder
o peito	chest, bust
os seios	breasts
o estômago	stomach
a barriga	stomach (*belly*)
as costas	back
o braço	arm
o cotovelo	elbow
a mão	hand
o pulso	wrist
o punho	fist
o dedo	finger
o (dedo) mínimo, o mindinho	little finger
o (dedo) indicador	index finger
o polegar	thumb
a unha	nail
a cintura	waist
a anca	hip
o traseiro, o rabo	bottom
as nádegas	buttocks
a perna	leg
a coxa	thigh
o joelho	knee
a barriga da perna	calf
o tornozelo	ankle
o pé	foot
o calcanhar	heel
o dedo do pé	toe

o dedão do pé	big toe
o órgão	organ
o membro	limb
o músculo	muscle
o osso	bone
o esqueleto	skeleton
a coluna vertebral	spine
a costela	rib
a carne	flesh
a pele	skin
o coração	heart
os pulmões	lungs
o fígado	liver
os rins	kidneys
a bexiga	bladder
o sangue	blood
a veia	vein
a artéria	artery

a cabeça — the head

o crânio	skull
o cérebro	brain
o cabelo	hair
o rosto	face
os traços	features
as rugas	lines, wrinkles
a testa	forehead
a têmpora	temple
as sobrancelhas	eyebrows
as pestanas	eyelashes
o olho	eye
as pálpebras	eyelids
a pupila	pupil
o nariz	nose
a narina	nostril
a bochecha	cheek
a maçã do rosto	cheekbone
o maxilar	jaw
a boca	mouth
os lábios	lips
a língua	tongue

o dente	tooth
o dente de leite	milk tooth
o dente do siso	wisdom tooth
o queixo	chin
a covinha	dimple
a orelha	ear

See also sections **6 HEALTH** *and* **7 MOVEMENTS AND GESTURES.**

5. COMO ESTÁ?
HOW ARE YOU FEELING?

sentir-se	to feel
estar bem	to be well
estar mal	to be unwell
sentir-se enjoado	to feel sick/queasy
estar...	to be...
com calor	warm
cheio de calor	hot
com frio	cold
com fome	hungry
com sede	thirsty
com sono	sleepy
esfomeado, morto de fome	starving
em (plena) forma	(very) fit, on (top) form
cheio de energia	full of energy
fatigado	tired
cansado	tired
exausto	exhausted
fraco	weak
frágil	frail
saudável	healthy
de boa saúde	in good health
doente	sick, ill
alerto, acordado	alert, awake
agitado	agitated
meio a dormir	half asleep, lethargic
a dormir	asleep
encharcado	soaked
gelado	frozen
demasiado	too
completamente	totally

ele tem um ar cansado/parece cansado
he looks tired

sinto-me fraco
I feel weak

tenho demasiado calor
I'm too hot

estou esfomeado!
I'm starving!

estou exausto
I'm exhausted

já não posso mais, estou farto
I've had enough!

estou esgotado
I'm worn out

See also section **6 HEALTH**.

6. A SAÚDE, AS DOENÇAS E AS DEFICIÊNCIAS
HEALTH, ILLNESSES AND DISABILITIES

estar...	to be ...
bem	well
mal, doente	unwell, ill
melhor	better
adoecer	to fall ill
apanhar	to catch
ter...	to have ...
dores de estômago	a stomachache
dores de cabeça	a headache
dores de garganta	a sore throat
dores nas costas	backache
dores de ouvidos	earache
dores de dentes	toothache
ter náuseas	to feel sick/queasy
estar/sentir-se enjoado	to be/feel seasick
ter dores, sofrer	to be in pain
sofrer (de)	to suffer (from)
estar constipado	to have a cold
sofrer do coração	to have a heart condition
partir a perna	to break one's leg
torcer o tornozelo	to sprain one's ankle
magoar-se nas costas	to hurt one's back
magoar, ferir	to hurt
sangrar	to bleed
vomitar	to vomit
tossir	to cough
espirrar	to sneeze
transpirar, suar	to sweat
tremer	to shake
ter arrepios	to shiver
ter febre	to have a temperature

desmaiar	to faint
estar em coma	to be in a coma
ter uma recaída	to have a relapse
tratar	to treat
tratar de	to nurse
cuidar de	to take care of, to nurse
chamar	to call
mandar vir	to send for
marcar uma consulta	to make an appointment
examinar	to examine
aconselhar	to advise
receitar	to prescribe
operar	to operate
ser operado	to have an operation
ser operado às amígdalas	to have one's tonsils taken out
tirar um raio X	to have an X-ray
tratar de uma ferida, fazer um penso	to dress a wound
ter necessidade de, precisar de	to need
tomar	to take
descansar	to rest
estar em convalescência	to be convalescing
curar	to heal
recuperar	to recover
fazer dieta	to be on a diet
emagrecer	to lose weight
inchar	to swell
ficar infectado	to become infected
piorar	to get worse
morrer	to die
doente, indisposto	ill, sick, unwell
fraco	weak
curado	cured
de boa saúde	in good health
vivo	alive
grávida	pregnant
alérgico (a)	allergic (to)
anémico	anaemic
diabético	diabetic

obstipado	constipated
doloroso	painful
contagioso	contagious
grave	serious
infectado	infected (*person*)
inchado	swollen
partido	broken
torcido	sprained

as doenças

illnesses

a doença	disease, illness
a dor	pain
a cãibra	cramp
a epidemia	epidemic
o ataque, a crise	fit, attack
a ferida	wound, sore
a entorse	sprain
a fractura	fracture
a hemorragia (interna)	haemorrhage
a hemorragia (externa)	bleeding
a hemorragia nasal	nosebleed
a febre, a temperatura	fever, temperature
a temperatura	temperature
os soluços	hiccups
a tosse	cough
o pulso	pulse
a respiração	breathing
o sangue	blood
o grupo sanguíneo	blood group
a tensão arterial	blood pressure
a menstruação	period, menstruation
o abcesso	abscess
o aborto	abortion
o aborto espontâneo	miscarriage
a apendicite	appendicitis
a artrite	arthritis
a asma	asthma
o ataque cardíaco	heart attack
o ataque de epilepsia	epileptic fit
a bronquite	bronchitis

o cancro [BP o câncer]	cancer
a diarreia	diarrhoea
a dor de cabeça	headache
a enxaqueca	migraine
a epilepsia	epilepsy
a escarlatina	scarlet fever
o esgotamento nervoso	nervous breakdown
a febre dos fenos	hay fever
a febre tifóide	typhoid
a gripe	flu
a hérnia	hernia
a indigestão	indigestion
a indisposição de estômago	upset stomach
a infecção	infection
a infecção na garganta	throat infection
a insolação	sunstroke
a leucemia	leukaemia
a meningite	meningitis
a obstipação, a prisão de ventre	constipation
a papeira	mumps
a pneumonia	pneumonia
a raiva	rabies
o reumatismo	rheumatism
a rubéola	German measles
o sarampo	measles
a SIDA [BP o AIDS]	AIDS
a tosse convulsa	whooping cough
o traumatismo craniano	concussion
a tuberculose	TB
a úlcera	ulcer
a varicela	chickenpox
a varíola	smallpox

a pele — the skin

a queimadura (de sol)	(sun)burn
a corte	cut
o arranhão	scratch
a arranhadura	graze
a picada	(insect) bite
a mordedura	bite (*animal*)
a comichão	itch

a erupção	rash
o acne	acne
a espinha	spot
a verruga	wart
o calo	corn
a bolha	blister
a nódoa negra	bruise
a cicatriz	scar

os tratamentos — treatments

a medicina	medicine
a higiene	hygiene
a saúde	health
a contracepção	contraception
o tratamento	(course of) treatment
os cuidados de saúde	health care
os primeiros socorros	first aid
o hospital	hospital
a clínica	clinic
o gabinete médico	(doctor's) surgery
a ambulância	ambulance
a maca	stretcher
o termómetro	thermometer
o gota a gota	drip
a cadeira de rodas	wheelchair
o gesso	plaster cast
as muletas	crutches
a operação	operation
a anestesia	anaesthetic
os pontos	stitches
a transfusão de sangue	blood transfusion
a radiografia, o raio X	X-ray
a injecção	injection
a vaçinação	vaccination
a dieta	diet
a consulta	consultation, appointment
a receita	prescription
a convalescença	convalescence
a recaída	relapse
a recuperação	recovery
a morte	death

o/a médico/a	doctor
o médico de serviço	duty doctor
o especialista	specialist
o oftalmologista	optician
o cirurgião	surgeon
a enfermeira/o enfermeiro	nurse/male nurse
o doente, o paciente	patient

os medicamentos — medicines

o medicamento, o remédio	medicine
a farmácia	chemist's
os antibióticos	antibiotics
o analgésico	painkiller
a aspirina	aspirin
o tranquilizante	tranquillizer
o sonífero, o sedativo	sleeping tablet
o laxativo	laxative
o tónico	tonic
as vitaminas	vitamins
o xarope para a tosse	cough mixture
o comprimido	tablet
a pastilha	lozenge, pastille
a pílula (contraceptiva)	(contraceptive) pill
as gotas	drops
o antiséptico	antiseptic
a pomada	ointment
a penicilina	penicillin
o algodão (hidrófilo)	cotton wool
o gesso	plaster
a compressa, o penso	bandage, dressing
o penso adesivo	sticking plaster
o penso higiénico	sanitary towel
o tampão	tampon

no dentista — at the dentist's

o/a dentista	dentist
a dentadura	dentures
a cárie	decay
a extracção	extraction
a amálgama, o chumbo	filling
a placa bacteriana	plaque

as deficiências	disabilities
deficiente	disabled
a síndrome de Down	Down's syndrome
(o mongolismo)	
cego	blind
daltónico	colour-blind
míope	short-sighted
presbita	long-sighted
duro de ouvido	hard of hearing
surdo	deaf
surdo-mudo	deaf and dumb
paralítico	crippled (*disabled*)
aleijado	crippled (*maimed*)
coxo	lame
a pessoa com deficiência	(mentally) handicapped person
(mental)	
o cego	blind person
a pessoa com deficiência	disabled person
a bengala	stick
o aparelho auditivo	hearing aid
os óculos	glasses
as lentes de contacto	contact lenses

como se (te) sente(s)?
how are you feeling?

não me sinto muito bem
I don't feel very well

tenho náuseas/estou enjoado
I feel sick

sinto-me tonto
I feel dizzy

onde é que lhe dói?
where does it hurt?

doem-me os olhos
my eyes are sore

não é grave
it's nothing serious

tirei a temperatura
I took my temperature

tem 38 graus de febre
he's/she's/you've got a temperature of 101!

ele/ela foi operado/a a um olho
he/she had an eye operation

tem alguma coisa para...?
have you got anything for ...?

See also section **4 THE HUMAN BODY.**

7. OS MOVIMENTOS E OS GESTOS
MOVEMENTS AND GESTURES

as idas e vindas	comings and goings
ir	to go
aparecer	to appear
chegar	to arrive
mancar	to limp
continuar	to continue, to go on
correr	to run
ultrapassar, passar por	to pass, to go past
descer (as escadas)	to go/come down(stairs)
descer/sair de	to get off
desaparecer	to disappear
entrar em	to go/come in(to)
irromper	to rush in
estar imobilizado	to be rooted to the spot
passear de um lado para o outro	to pace up and down
dar um passeio	to go for a walk
deslizar	to slide (along)
andar, caminhar	to walk
andar a passos largos	to stride
andar para trás	to walk backwards
subir (as escadas)	to go up(stairs)
subir para, entrar em	to get on
partir, ir-se embora	to go away
partir apressadamente	to rush away
atravessar	to go through, to cross
retroceder	to move back
voltar a descer	to go back down
voltar a subir	to go back up/down
voltar a partir	to set off again
voltar a entrar, regressar (a casa)	to go/come back (in/home)
voltar a sair	to go/come back out
ficar, permanecer	to stay, to remain
regressar, voltar	to return, to go/come back

andar aos saltos	to hop
saltar	to jump
parar	to stop
dar um passeio	to go for a stroll
esconder-se	to hide
ir para a cama	to go to bed
deitar-se	to lie down
apressar-se, despachar-se	to hurry
pôr-se a caminho	to set off
sair (de)	to come/go out (of)
seguir	to follow
surgir de repente	to appear suddenly
cambalear	to stagger
arrastar-se	to dawdle
errar, deambular	to hang about
tropeçar	to trip
vir	to come

a chegada	arrival
a partida	departure
o início, o princípio	beginning
o fim	end
a entrada	entrance
a saída	exit, way out
o regresso	return
a travessia	crossing (*sea*)
o cruzamento	crossing (*road*)
o passeio, a volta	walk, stroll
a forma de andar	way of walking
o passo	step
o descanso	rest
o salto	jump
o começo	start
passo a passo	step by step
na ponta dos pés	on tiptoe
em passos furtivos	stealthily
com pressa	in a rush

as acções / actions

agarrar, apanhar [BP pegar]	to catch
baixar	to lower, to pull down

mover	to move
começar	to start
retirar	to remove
fechar, encerrar	to close
acabar, terminar	to finish
bater	to hit, to knock
deitar [BP jogar fora]	to throw away
lançar	to throw
deixar cair	to drop
erguer, levantar	to lift, to raise
pôr, colocar [BP botar]	to put, to place, to set
carregar	to carry
trazer	to bring
levar	to take
abrir	to open
pousar	to put down
empurrar	to push
puxar	to pull
levar, ir buscar	to take, to get, to fetch
recomeçar	to start again
agachar-se	to squat down
ajoelhar-se	to kneel down
estender-se	to stretch out
esticar-se	to stretch
apoiar-se (contra/em)	to lean (against/on)
sentar-se	to sit down
inclinar-se	to stoop
levantar-se	to get/stand up
debruçar-se (de)	to lean (out of)
descansar	to (have) a rest
virar-se, voltar-se	to turn round
apertar	to hold (tight), to squeeze
agarrar-se a	to hang on to
tocar	to touch
arrastar	to drag

as posições — postures

sentado	sitting, seated
de pé	standing
inclinado	leaning
pendurado	hanging

acorcorado	squatting
ajoelhado	kneeling
de joelhos	on one's knees
deitado	lying down
deitado de barriga para baixo	lying face down
apoiado (contra/em)	leaning (on/against)
de gatas, a quatro patas	on all fours
de bruços	face down

os gestos
gestures

olhar para baixo	to look down
baixar os olhos	to lower one's eyes
piscar os olhos	to blink
dar um pontapé a	to kick
dar um soco a	to punch
dar uma bofetada a	to slap
fazer uma careta	to make a face
fazer um sinal	to make a sign
gesticular	to gesticulate
franzir o sobrolho	to frown
encolher (os ombros)	to shrug (one's shoulders)
acenar com a cabeça	to nod
lançar um olhar	to (cast) a glance
erguer os olhos	to look up, raise one's eyes
apontar	to point at
rir	to laugh
sacudir a cabeça	to shake one's head
sorrir	to smile

o bocejo	yawn
a piscadela de olhos	wink
o olhar	glance
o pontapé	kick
o soco	punch
o gesto	gesture
a bofetada	slap
a careta	grimace
a encolhidela de ombros	shrug
o aceno com a cabeça	nod
o movimento	movement
o riso, a risada	laugh

o sinal, o gesto	sign
o aviso	signal
o sorriso	smile

fomos para lá de carro
we went there by car

vou para a escola a pé
I walk to school

desceu as escadas a correr
he/she ran downstairs

saí a correr
I ran out

entrou a cambalear
he/she staggered in

caminhámos 10 quilómetros
we walked 10 kilometres

8. A IDENTIFICAÇÃO PESSOAL
IDENTITY

o nome	name
dar nome a, chamar	to name, to call
baptizar	to christen
chamar-se	to be called
alcunhar	to nickname
assinar	to sign
a identidade	identity
a assinatura	signature
o nome	name
o apelido	surname
o primeiro nome, o nome próprio	first name
o nome de solteira	maiden name
a alcunha	nickname
o diminutivo	pet name
os iniciais	initials
o Sr. Vieira	Mr Vieira
a Sra. Vieira	Mrs Vieira
a Menina Vieira	Miss Vieira
os senhores	gentlemen
as senhoras	ladies
a nacionalidade	nationality
o lugar de nascimento	birthplace
a data de nascimento	date of birth
os sexos	sexes
a mulher	woman
a senhora	lady
a rapariga, a menina [BP a moça]	girl
o homem	man
o senhor	gentleman
o rapaz, o menino [BP o garoto]	boy

masculino	masculine
feminino	feminine
do sexo masculino	male
do sexo feminino	female

o estado civil — marital status

nascer	to be born
morrer	to die
casar	to marry
casar-se (com)	to get married (to)
ficar noivo (de)	to get engaged (to)
divorciar-se (de)	to get a divorce (from)
romper o noivado	to break off one's engagement
solteiro	single (*man*)
casado	married
noivo	engaged
divorciado	divorced
separado	separated
viúvo	widowed
o marido	husband
a mulher, a esposa	wife
o ex-marido	ex-husband
a ex-mulher	ex-wife
o noivo	fiancé, bridegroom
a noiva	fiancée, bride
o viúvo	widower
a viúva	widow
o órfão	orphan
o/a filho/a adoptivo/a	adopted son/daughter
a cerimónia	ceremony
o nascimento	birth
o baptizado	christening
a vida	life
a morte	death
o enterro	funeral
o casamento, a boda	wedding
o noivado	engagement
o divórcio	divorce

a morada	address
viver, morar, habitar	to live
alugar, arrendar	to rent, to let
partilhar	to share
o endereço, a morada	address
o domicílio	home address
o andar, o piso	floor, storey
o código postal	postcode
o número (da porta)	number
o número de telefone	phone number
a lista telefónica	telephone directory
o proprietário	owner, landlord
o senhorio	landlord
o inquilino	tenant
o vizinho	neighbour
na cidade	in town
nos subúrbios	in the suburbs
no campo	in the country
a religião	religion
Católico	Catholic
Protestante	Protestant
Cristão	Christian
Anglicano	Anglican
Hindu	Hindu
Muçulmano	Muslim
Judeu	Jewish
Budista	Buddhist
ateu	atheist

chamo-me Paulo Vieira
my name is Paul Vieira

qual é o seu nome próprio/primeiro nome?
what is your first name?

ela chama-se Maria
her name is Maria

como se escreve?
how do you spell that?

onde mora (moras)?
where do you live?

moro em Lisboa/em Portugal
I live in Lisbon/in Portugal

é no terceiro andar
it's on the third floor

moro na rua do Sol, número 27
I live at 27 rua do Sol

moro aqui há um ano/desde 1995
I've been living here for a year/since 1995

estou a viver em casa do António
I'm living at Antonio's

See also section **29 FAMILY AND FRIENDS.**

9. A IDADE
AGE

jovem	young
velho, idoso	old
a idade	age
a infância	childhood
a juventude	youth
a adolescência	adolescence
a velhice, a terceira idade	old age
a data de nascimento	date of birth
o aniversário, o dia de anos	birthday
o bebé	baby
a criança	child
o adolescente	teenager
o adulto	adult
os adultos	grown-ups
os pequeninos	little ones
o jovem	young person
os jovens	young people
a rapariga [BP a moça]	girl
a mulher jovem	young woman
o rapaz [BP o garoto]	boy
o homem jovem	young man
a pessoa idosa	old person
a mulher idosa	old woman
o homem idoso	old man
os idosos, os velhos	old people
o reformado, o pensionista	pensioner
o menor	minor
de idade	of age

quantos anos tem (tens)?
how old are you?

(tenho) vinte (anos)
I'm twenty (years old)

quando é que nasceu (nasceste)?
when were you born?

no dia 1 de Março de 1960
the first of March 1960

em que ano nasceu (nasceste)?
what year were you born in?

nasci em Braga em 1968
I was born in Braga in 1968

um bebé de um mês
a one-month-old baby

uma criança de oito anos
an eight-year-old child

uma rapariga [BP moça] de quinze anos
a fifteen-year old girl

uma mulher de uns trinta anos
a woman of about thirty

um homem de meia-idade
a middle-aged man

uma pessoa idosa
an elderly person

10. O TRABALHO E AS PROFISSÕES
WORK AND JOBS

trabalhar	to work
ter a intenção de, tencionar	to intend to
tornar-se, ser	to become
interessar-se por	to be interested in
estudar	to study
ser ambicioso	to be ambitious
ter experiência	to have experience
não ter experiência	to lack experience
não ter emprego	to be unemployed
procurar um emprego	to look for work
candidatar-se a um emprego	to apply for a job
recusar	to reject (*offer*)
rejeitar	to reject (*applicant*)
aceitar	to accept
admitir	to take on
encontrar um emprego	to find a job
ter êxito	to be successful
ganhar	to earn
ganhar a vida	to earn a living
pagar	to pay
tirar férias	to take a holiday
tirar um dia de folga	to take a day off
despedir, dispensar	to lay off, to dismiss
demitir-se	to resign
sair	to leave
reformar-se	to retire
estar em greve	to be on strike
entrar em greve, fazer greve	to go on strike, to strike
difícil	difficult
fácil	easy
interessante	interesting
apaixonante, emocionante	exciting
aborrecido	boring
perigoso	dangerous

importante	important
útil	useful

as profissões — people at work

o actor/a actriz	actor/actress
o aduaneiro	customs officer
o advogado	lawyer
o agricultor	farmer
o alfaiate	tailor
a ama	nanny
o apresentador	announcer, presenter
o ardina	newsagent
o arquitecto	architect
o arquitecto de interiores	interior designer
a arrumadora [BP a lanterninha]	usherette
o artesão	craftsman
o artista	artist
o assistente social	social worker
o astronauta	astronaut
o astrónomo	astronomer
o bibliotecário	librarian
o bombeiro	fireman
o cabeleireiro	hairdresser
o caixa	cashier
o camionista	lorry driver
o canalizador	plumber
o cantor	singer
o capitão	captain
o carpinteiro	carpenter
o carregador (de mudanças)	removal man
o carteiro	postman
o chefe da cozinha	head cook, chef
o cientista	scientist
o cirurgião	surgeon
o cobrador	conductor
o comediante	comedian
o comerciante	shopkeeper
o comerciante de móveis	furniture dealer
o comissário de bordo/a hospedeira [BP a aeromoça]	air steward/stewardess
o construtor	builder

o consultor	adviser, consultant
o contabilista	accountant
o contramestre	foreman
o corretor da Bolsa	stockbroker
a costureira	dressmaker
o cozinheiro	cook
o criado	servant
o decorador	decorator
o dentista	dentist
o desenhador	designer
o desenhador humorístico	cartoonist
o director (de escola primária)	head teacher (*primary school*)
o director (de escola secundária)	head teacher (*secondary school*)
o director, o gerente	director, manager
o docente universitário	lecturer (*university*)
o editor	publisher
a educadora infantil	nursery teacher
o electricista	electrician
a empregada (de quartos)	chambermaid, maid
o empregado	employee
o/a empregado/a [BP o garçom]	waiter/waitress
o empregado bancário	bank clerk
a empresária	businesswoman
o empresário	businessman
o enfermeiro	nurse
o engenheiro	engineer
o escritor	writer
o estenodactilógrafo	(shorthand) typist
o estilista	fashion designer
a estrela	star
o estudante	student
o executivo	executive
o farmacêutico	chemist
o físico	physicist
o florista	florist
o fotógrafo	photographer
a freira	nun
o funcionário público	civil servant
o garagista	garage owner
o guia turístico	tourist guide

o homem do lixo	dustman
o industrial	industrialist
o instrutor	instructor
o intérprete	interpreter
o jardineiro	gardener
o joalheiro	jeweller
o jornalista	journalist
o juiz	judge
o leiteiro	milkman
o livreiro	bookseller
o locutor, o apresentador (da rádio e TV)	newsreader, announcer
o manequim, o modelo	model
o maquinista	engine driver
o marinheiro	sailor
o mecânico	garage mechanic
o médico	doctor
o mensageiro	delivery man
o mineiro	miner
o monge	monk
o motorista	driver
o motorista (de camioneta) [BP ônibus]	bus driver
o motorista de táxi, o taxista	taxi driver
a mulher a dias [BP a faxineira]	cleaner
o negociante	merchant
o negociante, o concessionário	dealer
o notário	notary
o oficial do exército	army officer
o oftalmologista	optician
o operário especializado	(semi-)skilled worker
o padeiro	baker
o padre	priest
o pasteleiro	confectioner
o pastor, o ministro	minister
o patrão, o chefe	boss
o pedreiro	bricklayer
o peixeiro	fishmonger
o pescador	fisherman
o piloto	pilot
o pintor	painter

o/a polícia	policeman/policewoman
o político	politician
o porteiro	janitor, porter
o professor primário	primary school teacher
o professor secundário	secondary school teacher
o professor suplente	supply teacher
o proprietário	owner
o psiquiatra	psychiatrist
o psicólogo	psychologist
o realizador de cinema	film director
o recepcionista	receptionist (*in hotel*)
o redactor	editor (*of text*)
o relojoeiro	watchmaker
o repórter	reporter (*press*)
o repórter da TV	TV reporter
o representante comercial	sales representative
o revisor	ticket inspector
o sapateiro	cobbler, shoe repairer
a secretária	secretary
o soldado	soldier
o talhante [BP o açougueiro]	butcher
o técnico	technician
o telefonista	switchboard operator
o trabalhador	worker, labourer
o trabalhador rural	farm labourer
o tradutor	translator
o vendedor	salesperson, shop assistant
o verdureiro	greengrocer
o veterinário	vet

o mundo do trabalho — the world of work

o trabalhador, o operário	worker
os trabalhadores	working people
o desempregado	unemployed person
o candidato a um emprego	job applicant, candidate
o empregador, o patrão	employer
o empregado	employee
o empregado de escritório	white collar worker
o colega	colleague
a direcção	management
o pessoal	staff, personnel

o aprendiz	apprentice
o estagiário	trainee
o grevista	striker
o reformado, o pensionista	retired person, pensioner
o sindicalista	trade unionist
o futuro	the future
a carreira	career
a profissão	profession, occupation

o negócio, a empresa   business

o trabalho, o emprego	job
o emprego com futuro	job with good prospects
o emprego temporário	temporary job
o emprego a tempo parcial	part-time job
as saídas, as vagas	openings, vacancies
a situação do emprego	work situation
o posto de trabalho	post, job
o curso (de formação)	training course
a aprendizagem	apprenticeship
a formação	training (*in job*)
as habilitações	qualifications, requirements
as qualificações profissionais	qualifications (*certificates*)
o certificado	certificate
o diploma	diploma
a licenciatura	degree
o emprego	employment
o sector	sector
a investigação	research
a informática	computer science
os negócios	business
a indústria	industry
a empresa, a companhia	company
o escritório	office
a fábrica	factory
a oficina	workshop
a loja	shop
o laboratório	laboratory
o armazém	warehouse, store
o trabalho	work
a licença de parto	maternity leave
a ausência por doença	sick leave

as férias pagas	paid holidays
o contrato (de trabalho)	contract of employment
a candidatura a emprego	job application
o formulário	form
o anúncio	ad(vertisement)
empregos oferecem-se	situations vacant
o salário, o pagamento, a remu-neração, o ordenado	salary, pay, wages
a entrevista	interview
o rendimento	income
o horário flexível	flexitime
a semana de 40 horas	40-hour week
os impostos	taxes
o aumento salarial/de ordenado	(pay) rise
a viagem de negócios	business trip
o despedimento	redundancy
a pensão	pension
o sindicato	trade union
a greve	strike

o que faz ele/ela na vida?
what does he/she do (for a living)?

ele/ela é médico/médica
he's/she's a doctor

o que queres ser quando fores grande?
what would you like to be when you grow up?

que projectos tens para o futuro?
what are your plans for the future?

gostaria de ser artista
I'd like to be an artist

tenho a intenção de estudar medicina
I'm going to study medicine

o mais importante para mim é o salário
the most important thing for me is the pay

pedi duas horas de folga
I asked for two hours off

11. O CARÁCTER E O COMPORTA-MENTO

CHARACTER AND BEHAVIOUR

comportar-se	to behave
controlar-se	to control oneself
obedecer	to obey
desobedecer	to disobey
repreender	to scold
ser repreendido	to be told off
zangar-se	to get angry
pedir desculpa	to apologise
castigar	to punish
permitir, deixar	to allow, to let
proibir	to forbid
impedir	to prevent
perdoar	to forgive
recompensar	to reward
ousar	to dare
a alegria	cheerfulness, joy
a arrogância	arrogance
a astúcia	craftiness, trick
o bom comportamento	good behaviour
o carácter	character
o castigo	punishment
a cautela	caution
o ciúme	jealousy
o comportamento	behaviour
a cortesia	politeness
a crueldade	cruelty
a desculpa	apology, excuse
a desobediência	disobedience
o embaraço, a vergonha	embarrassment
o encanto	charm
a gentileza	kindness
a grosseria	coarseness

a habilidade	skilfulness
a honestidade	honesty
a humanidade	humanity
o humor	humour
o humor, a disposição	mood
a impaciência	impatience
a insolência	insolence
o instinto	instinct
a inteligência	intelligence
a intolerância	intolerance
a inveja	envy
a maldade, a desobediência	nastiness, naughtiness
a malícia	mischief, malice
a obediência	obedience
o orgulho	pride
a paciência	patience
a preguiça	laziness
o rancor	spite
a recompensa	reward
a repreensão	telling-off
o ressentimento	resentment
a rudeza	rudeness
o senso de humor	sense of humour
a timidez	shyness, timidity
a tristeza	sadness
a vaidade	vanity
aborrecido	boring/bored
activo	active
agradável	pleasant, nice
alegre	cheerful, joyful
amistoso	friendly
antipático	unpleasant, disagreeable
arrogante	arrogant
arrumado	tidy
astuto	astute, wily
bom	good
brincalhão	naughty
calmo	calm
cauteloso	cautious
ciumento	jealous

compreensivo	understanding
cortês, educado	polite
cruel	cruel
curioso	curious
desajeitado	clumsy
desarrumado	untidy
descortês	rude
desobediente	disobedient
desolado	sorry
destrambelhado	scatterbrained
discreto	discreet
distraído	absent-minded
divertido	amusing, funny
embaraçado	embarrassed
encantador	charming
espirituoso	witty
estranho	strange
estúpido	stupid
falador	talkative
falso	false
feliz	happy
formidável	terrific
gabarola	boastful
gentil	kind
grosseiro	rude, coarse
hábil	skilful
honesto	honest
impaciente	impatient
impulsivo	impulsive
indiferente	indifferent
infeliz	unhappy
ingénuo	naïve
insolente	insolent, cheeky
instintivo	instinctive
insuportável	unbearable
inteligente	intelligent
intolerante	intolerant
invejoso	envious
louco	mad
mau	bad, nasty
modesto	modest

natural	natural
obediente	obedient
obstinado	stubborn
optimista	optimistic
orgulhoso	proud
paciente	patient
pessimista	pessimistic
pobre	poor
preguiçoso	lazy
prudente	careful
razoável	reasonable, sensible
respeitável	decent, respectable
sagaz	shrewd
sensacional	terrific
sensato	sensible
sensitivo	touchy
sensível	sensitive
sério	serious
simpático, agradável	nice, pleasant
surpreendente	surprising
tímido	shy
tolerante	tolerant
tonto	silly
trabalhador	hard-working
tranquilo	quiet
travesso	mischievous
triste	sad
vaidoso	vain
valente	brave
zangado	angry

acho-a muito simpática
I think she's very nice

ele/ela está de (muito) bom/mau humor
he's/she's in a (very) good/bad mood

ele/ela tem um bom/mau carácter
he/she is good-/ill-natured

ele/ela teve a amabilidade de me emprestar o carro
he/she was kind enough to lend me his/her car

desculpe incomodá-lo
I'm sorry to disturb you

lamento (imenso)
I'm (really) sorry

peço-lhe muita desculpa
I do apologize

ele/ela pediu desculpa ao professor pela sua insolência
he/she apologized to the teacher for being cheeky

ele/ela aceitou as minhas desculpas
he/she accepted my apologies

12. AS EMOÇÕES
EMOTIONS

a ira

	anger
zangar-se com	to become angry with
perder a paciência	to lose one's temper
estar zangado	to be angry
estar louco de raiva	to be fuming
indignar-se com	to become indignant at
excitar-se, enervar-se	to get excited, to get worked up
gritar	to shout
bater	to hit
esbofetar	to slap
a ira, a raiva	anger
a indignação	indignation
a tensão	tension
o stress	stress
o grito	cry, shout
irritado	annoyed, upset
zangado	angry
furioso	furious
rabugento	sulky
aborrecido	upset, boring/bored
irritante	annoying

a tristeza

	sadness
chorar	to weep, to cry
desatar a chorar	to burst into tears
soluçar	to sob
suspirar	to sigh
ser afligido (por)	to be distressed (by)
chocar	to shock
consternar	to dismay

desiludir	to disappoint
desconcertar	to disconcert
deprimir	to depress
emocionar, atingir	to move, to touch
afectar	to affect
perturbar	to disturb, to trouble
condoer-se de	to take pity on
reconfortar	to comfort
consolar	to console
a mágoa, a dor	grief
a tristeza	sorrow, sadness
a decepção	disappointment
o desespero	despair
a depressão	depression
as saudades, a nostalgia	homesickness, nostalgia
a melancolia	melancholy
o sofrimento	suffering
a lágrima	tear
o soluço	sob
o suspiro	sigh
o fracasso	failure
o azar	bad luck
a desgraça	misfortune
triste	sad
destroçado	shattered
desapontado	disappointed
deprimido	depressed
desolado	distressed
emocionado	moved, touched
melancólico	gloomy
de coração desfeito	heartbroken

o medo e a preocupação — fears and worries

ter medo (de)	to be frightened (of)
assustar(-se)	to frighten (oneself)
preocupar-se (com)	to worry (about)
tremer	to tremble

temer	to dread
o terror	terror, dread
o medo	fright, terror
o arrepio	shiver
o choque	shock
os problemas	trouble
as preocupações	anxieties
o problema	problem
temeroso	fearful
amedrontado	afraid
assustador	frightening
morto de medo	petrified
inquieto	worried
nervoso	nervous, tense
ansioso	anxious

a alegria e a felicidade — joy and happiness

divertir-se	to enjoy oneself
estar encantado (com)	to be delighted (about)
rir (de)	to laugh (at)
desatar a rir	to burst out laughing
ter um ataque de riso	to have the giggles
sorrir	to smile
abraçar	to hug
beijar	to kiss
a alegria	cheerfulness, joy
a felicidade	happiness
a satisfação	satisfaction
o riso	laugh, laughter
o ataque de riso	burst of laughter
o sorriso	smile
o abraço	hug
o beijo	kiss
o amor	love
o amor à primeira vista	love at first sight

o gosto	liking
a sorte	luck
o êxito	success
a surpresa	surprise
o prazer	pleasure
carinhoso	affectionate
encantado	pleased
alegre, contente, feliz	happy
apaixonado	in love

ele/ela assustou-o
he/she frightened him

ele/ela tem medo de cães
he's/she's frightened of dogs

tenho muitas saudades/sinto muito a falta do meu irmão
I miss my brother very much

não tenho nenhumas saudades de casa
I'm not homesick at all

ela tem sorte!, que sorte!
lucky her!

ele está apaixonado pela Mariana
he's in love with Mariana

13. OS SENTIDOS
THE SENSES

a visão	sight
ver	to see
olhar (para)	to look at, to watch
observar	to observe
examinar	to examine
perscrutar	to scan
rever	to see again
entrever	to catch a glimpse of
relancear, dar uma vista de olhos	to glance at, to have a look at, to keep an eye on
olhar fixamente	to stare at
espreitar	to peek at
acender (a luz)	to switch on (the light)
apagar (a luz)	to switch off (the light)
encandear, ofuscar	to dazzle
cegar	to blind
aparecer	to appear
desaparecer	to disappear
reaparecer	to reappear
ver televisão	to watch TV
a visão, a vista	sight, view
o espectáculo	sight (*scene*), show
a visão	vision
a cor	colour
a luz, a claridade	light
a sombra	shade
o brilho	brightness
a escuridão	darkness
o olho	eye

os óculos	glasses
os óculos de sol	sunglasses
as lentes de contacto	contact lenses
a lupa	magnifying glass
os binóculos	binoculars
o microscópio	microscope
o telescópio	telescope
o braille	Braille
brilhante	bright
claro	light
ofuscante	dazzling
obscuro, escuro	dark

a audição — hearing

ouvir	to hear
escutar	to listen to
sussurrar	to whisper
cantar	to sing
cantarolar	to hum
assobiar	to whistle
zumbir, zunir	to buzz
roçagar, sussurrar	to rustle
ranger, chiar	to creak
tocar, soar	to ring
trovejar	to thunder
ensurdecer	to deafen
calar-se	to be silent, to keep one's mouth shut
aguçar os ouvidos	to prick up one's ears
bater com a porta	to slam the door
romper a barreira de som	to break the sound barrier
a audição	hearing
o barulho	noise
a som	sound
a algazarra, a zoeira	racket, din
o eco	echo

o sussurro	whisper
a voz	voice
a canção	song
o canto	singing
o zumbido	buzzing
o crepitar	crackling
a explosão	explosion
o rangido	creaking
o toque	ringing (*of doorbell*)
o tocar	ringing (*of telephone*)
o farfalhar	rustling
o baque	thump, thud, plop
o trovão	thunder
a orelha, o ouvido	ear
o altifalante	loudspeaker
o sistema sonoro	public address system
o sistema de intercomunicação, o intercomunicador	intercom
os auriculares, os auscultadores	earphones, headset
o walkman	personal stereo, Walkman®
o rádio	radio
o código Morse	Morse code
os tampões para os ouvidos	earplugs
o aparelho auditivo	hearing aid
barulhento, ruidoso	noisy
silencioso	silent
forte, alto	loud
agudo	shrill
fraco, baixo	faint
ensurdecedor	deafening
surdo	deaf
duro de ouvido	hard of hearing

o tacto — touch

tocar	to touch
sentir	to feel
acariciar	to stroke
fazer cócegas	to tickle
esfregar	to rub

bater	to knock, to hit
arranhar	to scratch
o toque	touch
a carícia	stroke
a bofetada	blow
o aperto de mão	handshake
a ponta dos dedos	fingertips
liso	smooth
rugoso	rough
macio	soft
áspero	hard
frio	cold
morno	warm
quente	hot

o paladar — taste

provar	to taste (*sample*)
beber	to drink
comer	to eat
lamber	to lick
sorver	to sip
devorar	to gobble up
saborear	to savour
engolir	to swallow
mastigar	to chew
salgar	to salt
adoçar	to sweeten
condimentar	to add spices to
o paladar, o gosto	taste
a boca	mouth
a língua	tongue
a saliva	saliva
as papilas gustativas	taste buds
o apetite	appetite
apetitoso	appetizing
delicioso	delicious
gostoso	tasty
desagradável	horrible

doce	sweet
salgado	salted, salty
ácido	tart
azedo	sour
amargo	bitter
condimentado, picante	spicy, hot
forte	strong
insípido, insosso	tasteless

o olfacto — smell

cheirar	to smell
cheirar a	to smell of
cheirar, farejar	to sniff
tresandar, feder	to stink
perfumar	to perfume
cheirar bem/mal	to smell nice/awful
(o sentido do) olfacto	(sense of) smell
o odor	smell
o cheiro, o perfume	scent, perfume
o aroma	aroma
a fragrância	fragrance
o fedor	stench
o fumo	smoke
o nariz	nose
as narinas	nostrils

perfumado, fragante	scented, fragrant
fétido, fedorento	stinking
enfumarado, fumegante	smoky
inodoro	odourless

está escuro na cave/adega
it's dark in the cellar

ouvi a criança a cantar
I heard the child singing

é macio (ao toque)
it feels soft

faz crescer água na boca
it makes my mouth water

este café sabe a sabão
this coffee tastes of soap

este chocolate tem um gosto estranho
this chocolate tastes funny

sentiu (sentiste) gás?
did you smell gas?

esta sopa não sabe a nada
this soup doesn't taste of anything

esta sala cheira a fumo
this room smells of smoke

está abafado aqui dentro
it's stuffy in here

See also sections **4 THE HUMAN BODY, 6 HEALTH, 16 FOOD** *and* **63 COLOURS.**

14. AS PREFERÊNCIAS E AS AVERSÕES
LIKES AND DISLIKES

gostar (de)	to like
amar	to love
adorar	to adore
gostar muito de	to be fond of
gostar apaixonadamente de	to be keen on
gostar imenso (de)	to like a lot
apreciar	to appreciate
estar agradecido (por)	to be grateful (for)
sentir vontade de	to feel like
detestar	to detest
odiar	to hate
desprezar	to despise
preferir	to prefer
escolher	to choose
hesitar	to hesitate
decidir	to decide
comparar	to compare
precisar de, necessitar	to need
querer	to want
desejar	to wish (for)
esperar	to hope (for)
o amor	love
a inclinação	liking
a tendência	liking
a repugnância	loathing
o ódio	hate
o desprezo	contempt

a escolha	choice
a comparação	comparison
a preferência	preference
o contrário	contrary
o oposto	opposite
o contraste	contrast
a diferença	difference
a semelhança	similarity
a necessidade	need
o desejo	wish
a intenção	intention
comparável	comparable
diferente (de)	different (from)
igual (a)	equal (to)
idêntico (a)	identical (to)
o mesmo (que)	the same (as)
em comparação com	in comparison with
em relação a	in relation to
mais	more
menos	less
muito	a lot
enormemente	enormously
muito	a great deal (of)
muito mais/menos	a lot more/less
muitíssimo mais/menos	quite a lot more/less

este livro agrada-me, gosto deste livro
I like this book

gosto muito de representar
I really like doing drama

o vermelho é a minha cor preferida
red is my favourite colour

prefiro o café ao chá
I prefer coffee to tea

prefiro ficar em casa
I'd rather stay at home, I prefer staying at home

gosto muito de te ver!
I'm pleased to see you

tenho vontade de sair hoje à noite
I feel like going out tonight

15. A ROTINA DIÁRIA E O SONO
DAILY ROUTINE AND SLEEP

acordar	to wake up
levantar-se	to get up
espreguiçar-se	to stretch
bocejar	to yawn
estar meio a dormir	to be half asleep
dormir bem	to have a good sleep
dormir demais	to oversleep
abrir as cortinas/persianas	to open the curtains/shutters
erguer o estor	to pull up the blind
abrir totalmente a janela	to open the window wide
acender a luz	to switch the light on
ir à casa de banho [BP ao banheiro]	to go to the bathroom/toilet
lavar-se, tomar banho	to wash, to have a wash
lavar a cara	to wash one's face
lavar as mãos	to wash one's hands
escovar/lavar os dentes	to brush one's teeth
lavar o cabelo	to wash one's hair
tomar (um) duche	to have a shower
tomar (um) banho	to have a bath
ensaboar-se	to soap oneself
enxaguar-se	to rinse oneself
secar-se	to dry oneself
secar as mãos	to dry one's hands
fazer a barba	to shave
vestir-se	to get dressed
pentear-se, arranjar o cabelo	to do/comb one's hair
pentear o cabelo	to brush one's hair
maquilhar-se [BP maquilar]	to put on (one's) make-up
pôr as lentes de contacto	to put one's contact lenses in
pôr a dentadura	to put one's false teeth in
fazer a cama	to make the bed
ligar/acender o rádio/o televisor	to switch the radio/television on

desligar/apagar o rádio/o tele-visor	to switch the radio/television off
tomar o pequeno-almoço [BP café da manhã]	to have breakfast
dar comida ao gato/cão [BP cachorro]	to feed the cat/dog
regar as plantas	to water the plants
preparar-se	to get ready
sair da casa	to leave the house
ir para a escola	to go to school
ir para o escritório	to go to the office
ir para o trabalho	to go to work
apanhar o autocarro [BP pegar o ônibus]	to catch the bus
voltar/ir para casa	to come/go home
voltar da escola	to come back from school
voltar do trabalho	to come back from work
fazer os trabalhos de casa	to do one's homework
descansar	to have a rest
fazer uma soneca	to have a nap
fazer a sesta	to have a nap (*in the afternoon*)
beber uma chávena de chá	to have a cup of tea
lanchar	to have an afternoon snack
ver televisão	to watch television
ler	to read
brincar	to play
jantar	to have dinner
fechar a porta à chave	to lock the door
despir-se	to undress
fechar as cortinas	to draw the curtains
baixar os estores	to pull down the blinds
ir para a cama, deitar-se	to go to bed
aconchegar	to tuck in (*bed*)
pôr o despertador	to set the alarm (clock)
apagar a luz	to switch the light off
adormecer	to fall asleep
dormir	to sleep
dormitar	to doze
sonhar/dormir mal	to dream/to sleep badly

ter insónias	to suffer from insomnia
passar uma noite em branco	to have a sleepless night

a higiene pessoal — personal hygiene

o sabonete, o sabão	soap
a toalha	towel
a toalha de banho	bath towel
a toalha de mãos	hand towel
a luva	flannel
a esponja	sponge
a escova	brush
a pente	comb
a escova de dentes	toothbrush
o dentífrico, a pasta de dentes	toothpaste
o champô	shampoo
o amaciador	conditioner
o banho de espuma	bubble bath
os sais de banho	bath salts
o desodorizante [BP o desodorante]	deodorant
o papel higiénico	toilet paper
o secador de cabelo	hair dryer
a balança	scales

a cama — bed

a almofada	pillow
o lençol	sheet
a fronha	pillowcase
o cobertor, a manta	blanket
o cobertor suplementar	extra blanket
o edredão	duvet
o colchão	mattress
a colcha	bedspread
o cobertor eléctrico	electric blanket
a botija de água quente	hot-water bottle

habitualmente	usually
de manhã	in the morning
à noite	in the evening
todas as manhãs	every morning
a seguir, logo, depois	then

ontem pus o despertador para as sete (horas)
yesterday I set my alarm (clock) for seven

sou madrugador(a)
I'm an early riser

deito-me cedo/tarde
I go to bed early/late

dormi como uma pedra
I slept like a log

See also sections **16 FOOD, 17 HOUSEWORK, 23 MY ROOM** *and* **55 ADVENTURES AND DREAMS.**

16. A ALIMENTAÇÃO
FOOD

comer	to eat
beber	to drink
provar	to taste (*sample*)
tomar/comer o pequeno-almoço [BP café da manhã]	to have/eat breakfast
tomar o almoço, almoçar	to have lunch
jantar	to have dinner

as refeições — meals

o pequeno-almoço [BP o café da manhã]	breakfast
o jantar, a ceia	dinner, supper
o almoço	lunch
a refeição ligeira	snack
o piquenique	picnic
o lanche	afternoon snack

os pratos — courses

o aperitivo	appetizer
o acepipe	hors d'oeuvre, starter
a entrada	starter, first course
o prato principal	main course
os vegetais, os legumes	vegetables
a sobremesa, o doce	sweet
as frutas	fruit
o queijo	cheese

as bebidas — drinks

a água	water
a água mineral (com/sem gás)	(sparkling/still) mineral water
o leite	milk
o leite magro (meio gordo)	(semi-)skimmed milk
o chá (com limão)	tea (with lemon)
o chá de limão	lemon infusion

o chá com leite	tea with milk
o café [BP o cafezinho]	black (espresso) coffee
o café com leite	white coffee
o galão	milky coffee in a glass
a bica	black (espresso) coffee
a meia de leite	large milky coffee
o carioca	weak espresso
o garoto	small white coffee
o pingado	small coffee with drop of milk
o cheirinho	espresso with drop of brandy
a tisana, a infusão	herbal tea
o chá de camomila	camomile tea
o chocolate (quente)	(hot) chocolate
a refrigerante, bebida sem álcool	soft drink
a laranjada	orangeade
o sumo de laranja	orange juice
o sumo de laranja natural	fresh orange juice
o sumo de maçã	apple juice
a Coca-cola®	Coke®
a limonada	lemonade
a bebida alcoólica	alcoholic drink
a água tónica	tonic water
a cidra	cider
a cerveja	beer
a cerveja preta	stout
a cerveja branca	lager
a imperial, o fino [BP o chope]	small draught beer
o uísque (de malte)	(malt) whisky
o vinho tinto/branco/rosé	red/white/rosé wine
a champanhe	champagne
o vinho verde	young "green" wine
o aperitivo	aperitif
os licores	liqueurs
o conhaque	brandy
o aguardente [BP a cachaça]	strong brandy

os temperos e as especiarias

seasonings and spices

o sal	salt
a pimenta	pepper
o açúcar	sugar

a mostarda	mustard
o vinagre	vinegar
o óleo	oil
o alho	garlic
a cebola	onion
as especiarias	spices
as ervas	herbs
a salsa	parsley
o tomilho	thyme
a manjericão	basil
a hortelã	mint
o alecrim	rosemary
a salva	sage
os coentros	coriander
a canela	cinnamon
o louro	bay leaf
a noz moscada	nutmeg
o cravinho	clove
o pimentão picante	chilli (pepper)
o açafrão	saffron
o molho	sauce
a maionese	mayonnaise

o pequeno-almoço [BP o café da manhã]
breakfast

o pão	bread
o pão integral	wholemeal bread
a baguete	baguette, French stick
o pãozinho	roll
a sandes, o sanduíche	sandwich
o pão e a manteiga	bread and butter
a fatia de pão com compota	slice of bread and jam
(a fatia de) torrada	(slice of) toast
o croissant	croissant
a manteiga	butter
a margarina	margarine
o doce	jam
a compota (de laranja amarga)	marmalade
a geléia	jam
o mel	honey
os flocos de milho	cornflakes

as bolachas, os biscoitos	biscuits
o iogurte	yoghurt

a fruta — fruit

a peça de fruta	piece of fruit
a maçã	apple
a pêra	pear
o damasco, o alperce	apricot
o pêssego	peach
a ameixa	plum
a nectarina	nectarine
o melão	melon
a melancia	watermelon
o ananás [BP abacaxi]	pineapple
a banana	banana
a laranja	orange
a toranja	grapefruit
a tangerina	tangerine
o limão	lemon
o morango	strawberry
a framboesa	raspberry
a amora	blackberry
a groselha	redcurrant
a groselha preta	blackcurrant
a cereja	cherry
o cacho de uvas	bunch of grapes

os vegetais — vegetables

o legume, o vegetal	vegetable
as ervilhas	peas
o feijão verde	green bean
o alho porro	leek
a batata	potato
o puré de batata	mashed potatoes
as batatas cozinhadas com casca	jacket potatoes
as batatas assadas/cozidas	roast/boiled potatoes
as batatas fritas	chips
a cenoura	carrot
a couve	cabbage
as couves-de-bruxelas	Brussels sprouts
a erva-doce	fennel

a alface	lettuce
o espinafre	spinach
os cogumelos	mushrooms
a alcachofra	artichoke
o espargo	asparagus
o pimento (verde/vermelho)	(green/red) pepper
a beringela	aubergine
os bróculos	broccoli
a courgette	courgette
o milho	corn
os rabanetes	radishes
o tomate	tomato
o pepino	cucumber
o abacate	avocado
as favas	beans
as lentilhas	lentils
os grãos-de-bico	chickpeas
a salada	salad
o arroz	rice

a carne	meat
o porco	pork
a vitela	veal
a vaca	beef
o borrego	lamb
o carneiro	mutton
a galinha	chicken (*hen*)
o frango	chicken
o peru	turkey
o ganso	goose
o pato	duck
as aves	poultry
o javali	wild boar
o coelho	rabbit
o cabrito	kid
o leitão	sucking pig

o bife	steak
o escalope	escalope
o assado	joint
o rosbife	roast beef

a perna de borrego	leg of lamb
o estufado	stew
a carne picada	mince
o hambúrguer	hamburger
o rim	kidney
o fígado	liver
o presunto	smoked ham
a pasta	pâté
a morcela	black pudding
a salsicha	sausage
o chouriço	spicy sausage
o toucinho, o bacon	bacon

o peixe — fish

o bacalhau	(dried) cod
o arenque	herring
as sardinhas	sardines
o linguado	sole
o atum	tuna
a truta	trout
o salmão (fumado)	(smoked) salmon
o salmonete	red mullet
a pescada	hake
o peixe-espada	scabbard
o espadarte	swordfish
os mariscos	seafood
a lagosta	lobster
o caranguejo	crab
as ostras	oysters
os camarões	prawns
os mexilhões	mussels
os moluscos	clams
a lula	squid
o polvo	octopus

os ovos — eggs

o ovo	egg
o ovo cozido	(hard) boiled egg
o ovo estrelado	fried egg
os ovos escalfados	poached eggs
os ovos com presunto	ham and eggs

os ovos mexidos	scrambled eggs
a omeleta	omelette

as massas

pasta

a massa	pasta
o esparguete	spaghetti
o macarrão	macaroni

os pratos quentes

hot dishes

a sopa	soup
a sopa de aletria	noodle soup
o borrego assado	roast lamb
as almôndegas	meatballs
o porco/frango assado	roast pork/chicken
a carne de vaca estufada	beef casserole
o leitão assado	roast sucking pig
a feijoada	bean stew
o arroz de marisco	seafood rice
o bife a cavalo	steak with fried egg
as tripas	tripe

passado, cozinhado	cooked
muito bem passado	overdone
bem passado	well done
em sangue	rare
no ponto	medium
panado	cooked in breadcrumbs
recheado	stuffed
frito	fried
cozido	boiled
assado	roast

as sobremesas

desserts

a tarte de maçã	apple tart
as natas (batidas)	(whipped) cream
a salada de frutas	fruit salad
o pudim	crème caramel
o gelado [BP o sorvete]	ice-cream
o iogurte	yoghurt
a mousse de chocolate	chocolate mousse

as doces	sweet things
chocolate de leite/preto amargo	milk/plain chocolate
a tablete de chocolate	chocolate bar
a bolacha [BP o biscoito]	biscuit
o bolo	cake
os pastéis	pastries
os chocolates	chocolates
o chupa-chupa gelado, o picolé	ice lolly
os bombons, os rebuçados	sweets
[BP as balas]	
os bombons de hortelã	mints
a pastilha elástica, o chiclete	chewing gum
o chupa-chupa	lollipop

os sabores	tastes
doce	sweet
saboroso	tasty
salgado	savoury, salty
amargo	bitter
ácido	sour
condimentado	spicy
forte	strong
picante	hot, spicy
insosso, insípido	tasteless

bom apetite/proveito! – obrigado, você também
enjoy your meal! – thank you, you too

See also sections **5 HOW ARE YOU FEELING?, 17 HOUSEWORK, 61 QUANTITIES** *and* **62 DESCRIBING THINGS.**

17. O TRABALHO DOMÉSTICO
HOUSEWORK

ocupar-se das tarefas domésticas	to do the housework
cozinhar	to cook
preparar o almoço/jantar	to make lunch/dinner
lavar a louça	to do the washing-up
lavar a roupa	to do the washing
limpar	to clean
polir	to polish
varrer	to sweep
limpar o pó	to dust
aspirar	to vacuum
despejar o lixo	to empty the bin
lavar	to wash
enxaguar	to rinse
limpar, enxugar	to dry, to wipe (*dishes*)
limpar (com pano)	to wipe
arrumar	to tidy up, to put away
fazer as camas	to make the beds
preparar	to prepare
cortar	to cut
cortar às fatias	to slice
ralar	to grate
descascar, pelar	to peel
ferver, estar a ferver	to boil, to be boiling
fritar	to fry
assar	to roast
torrar	to toast
pôr a mesa	to set the table
levantar a mesa	to clear the table
passar a ferro, engomar	to iron
passajar	to darn
remendar	to mend, to repair
ajudar	to help
dar uma mão, ajudar	to give a hand

os trabalhadores domésticos

people who work in the house

a dona de casa	housewife
a mulher a dias [BP a faxineira]	cleaner
o ajudante	home help
a criada	maid
a au pair	au pair girl
o/a baby-sitter, a babá	babysitter

os electrodomésticos

electrical appliances

o aspirador	vacuum cleaner
a máquina de lavar roupa	washing machine
a centrifugadora	spin-dryer
o ferro de engomar	iron
a máquina de costura	sewing machine
a batedeira	mixer
o robô de cozinha	food processor
o moinho de café	coffee grinder
o (forno) microondas	microwave (oven)
o frigorífico [BP a geladeira]	refrigerator, fridge
o congelador	freezer
a máquina de lavar louça	dishwasher
o fogão	cooker
o forno	oven
a electricidade	electricity
a torradeira	toaster
a chaleira eléctrica	electric kettle
a cafeteira eléctrica	coffee-maker (*electric*)

os utensílios

household items

a tábua de passar a ferro	ironing board
a vassoura	broom
a pá de lixo	dustpan
a escova	brush
o pano	rag, cloth
o pano de pó	duster
o pano da louça	dishtowel
o escorredor da louça	dish drainer
a pega/luva de forno	oven glove

a mola, o pregador [BP o prende-dor]	clothes peg
a detergente de louça	washing-up liquid
a detergente de roupa em pó	washing powder
o balde	bucket
a pia [BP o sanitário]	basin
a panela	pot
a caçarola [BP a panela]	saucepan, pan
a frigideira	frying pan
a panela de ir ao forno	casserole dish
a panela de pressão	pressure cooker
a tampa	lid
o coador	colander
o rolo da massa	rolling pin
a tábua de cortar	chopping board
a faca de pão	bread knife
o descascador	potato peeler
a concha (de sopa)	ladle
o abre-latas	tin opener
o abre-garrafas [BP o abridor]	bottle opener
o saca-rolhas	corkscrew
a batedeira	whisk
o funil	funnel
a bandeja	tray

os talheres — cutlery

o talher	piece of cutlery
a colher	spoon
a colher de chá	teaspoon
o garfo	fork
a faca	knife

a loiça — dishes

a peça (de loiça)	piece of crockery
o descanso	place mat
o prato	plate
o prato de sopa	soup plate
o pires	saucer
a travessa	serving dish
a chávena [BP a xícara]	cup

o copo	glass
a garrafa	bottle
a terrina da sopa	soup tureen
a galheta	oil or vinegar bottle
o galheteiro	oil and vinegar cruet
o açucareiro	sugar bowl
o bule	teapot
a garrafa (de mesa)	carafe, decanter
a cafeteira	coffee pot, coffee-maker
a leiteira	milk jug
o oveiro	egg cup

é o meu pai que sempre lava a loiça
my father always does the dishes

os meus pais dividem as tarefas domésticas
my parents share the housework

See also sections **16 FOOD** *and* **24 THE HOUSE.**

18. AS COMPRAS
SHOPPING

comprar	to buy
custar	to cost
gastar	to spend
trocar	to exchange
pagar	to pay (for)
dar troco	to give change
vender	to sell
saldar	to sell at a reduced price
fazer desconto	to give a discount
ir às compras	to go shopping
fazer as compras	to do the shopping
barato	cheap
caro	expensive
grátis	free
uma pechincha	a bargain
em saldo	at a reduced price
em promoção	on special offer
em segunda mão	second-hand
o cliente, o freguês	customer
o vendedor/empregado de loja	shop assistant
o caixeiro	shop assistant

as lojas
shops

a agência de viagens	travel agent's
a farmácia	chemist's
a florista	florist's
o fotógrafo	photographer's
a geladaria	ice-cream shop
os grandes armazéns	department store
o hipermercado	hypermarket
a joalharia	jeweller's
a lavandaria	laundry, launderette
a leitaria	dairy

a livraria	bookshop
a loja	shop
a loja de desporto	sports shop
a loja de discos, a discoteca	record shop
a loja de ferragens	ironmonger's, hardware shop
a loja de recordações	souvenir shop
a loja de vinhos e bebidas alcoólicas	off-licence
a marroquinaria	leather goods shop
o mercado	(indoor) market
a mercearia	grocer's
a mercearia fina	delicatessen
o minimercado	mini-mart
a padaria	baker's
a pastelaria [BP a doceria]	cake shop
a peixaria	fishmonger
o quiosque	newsstand
a retrosaria	haberdasher's
o salão de beleza	beauty salon
a sapataria	shoe shop
o supermercado	supermarket
a tabacaria	tobacconist
o talho [BP o açougue]	butcher's
a tinturaria	dry cleaner's
o verdureiro	greengrocer's
o saco	bag
o saco de plástico	plastic bag
o saco de compras	shopping bag
o cesto de compras, o cabaz	shopping basket
o carrinho (de supermercado)	(supermarket) trolley
o modo de emprego, as instruções	instructions for use
o preço	price
a caixa	till, checkout, cash desk
o troco	change
o cheque	cheque
o cartão de crédito	credit card
o recibo	receipt
os saldos	sales
o balcão	counter

a secção	department
o gabinete de provas	fitting room
as escadas rolantes	escalator
o primeiro andar/piso	first floor
o elevador, o ascensor	lift
a montra [BP a vitrina]	shop window
o tamanho, o número	size

vou ao cabeleireiro
I'm going to the hairdresser's

posso ajudá-lo?, em que posso servi-lo?
can I help you?

queria um quilo de maçãs, se faz favor
I'd like a kilo of apples, please

tem bananas?
have you got any bananas?

(deseja) mais alguma coisa?
anything else?

é tudo, obrigado
that's all, thank you

quanto custa isto?
how much is this?

são 60 euros (ao todo)
that comes to 60 euros (altogether)

posso pagar com cheque?
can I pay by cheque?

aceitam cartões de crédito?
do you take credit cards?

faça favor de pagar na caixa
please pay at the cash desk

quer que faça embrulho de oferta?
do you want it gift-wrapped?

desculpe, onde fica a secção de sapataria?
excuse me, where is the shoe department?

queria reembolso
I'd like a refund

adoro ver montras [BP vitrinas]
I like window-shopping

See also sections **2 CLOTHES AND FASHION, 10 WORK AND JOBS** *and* **31 MONEY.**

19. OS DESPORTOS [BP OS ESPORTES]
SPORT

treinar	to train
mergulhar	to dive
saltar	to jump
jogar	to play
correr	to run
lançar	to throw
disparar, atirar	to shoot
esquiar	to ski
patinar	to skate
nadar	to swim
galopar	to gallop
trotar	to trot
andar a cavalo	to go horse-riding
jogar futebol/voleibol	to play football/volleyball
ir à caça	to go hunting
ir à pesca	to go fishing
praticar esqui	to go skiing
marcar um golo [BP gol]	to score a goal
encabeçar	to be in the lead
bater um recorde	to beat a record
sacar	to serve
ganhar	to win
perder	to lose
derrotar	to beat
o profissional	professional
o amador	amateur
o fan [BP o fã]	fan

as modalidades desportivas — types of sport

a aeróbica	aerobics
o alpinismo, o montanhismo	mountaineering
o andebol	handball

a asa delta	hang-gliding
o atletismo	athletics
o badminton	badminton
o basquete(bol)	basketball
o boxe	boxing
os bruços	breast-stroke
a caça desportiva	hunting
a canoagem	canoeing
o ciclismo	cycling
a corrida	running
as costas	backstroke
o crawl	crawl
o críquete	cricket
o desporto [BP o esporte]	sport
os desportos de Inverno	winter sports
a equitação	horse riding
a escalada	rock climbing
a esgrima	fencing
o esqui	skiing
o esqui aquático	water-skiing
o esqui de fundo	cross-country skiing
o futebol	football, soccer
o futebol americano	American football
a ginástica	gymnastics, physical training
o golfe	golf
a halterofilia	weightlifting
o hóquei	hockey
o hóquei em gelo	ice hockey
o jogging, a corrida [BP o cooper]	jogging
o judo	judo
o karaté	karate
a luta (corpo a corpo)	wrestling
a mariposa	butterfly-stroke
o mergulho	diving
a musculação	body-building
a natação	swimming
o pára-quedismo	parachuting
a patinagem em linha	roller-blading
a patinagem sobre rodas	roller-skating
a pesca	fishing
o râguebi	rugby

o remo	rowing
o salto em altura	high jump
o salto em comprimento	long jump
o squash	squash
o surf	surfboarding
o ténis [BP o tênis]	tennis
o ténis de mesa, o pingue-pongue	table tennis
o tiro	shooting
a vela	sailing
o voleibol [BP o vôlei]	volleyball

o equipamento — equipment

o barco à vela	sailing boat
o stick de hóquei	hockey stick
a bicicleta	bicycle
a bola	bowl, ball
a cana de pesca	fishing rod
a canoa	canoe
o cronómetro	stopwatch
as luvas de boxe	boxing gloves
o taco, bastão	bat (*baseball/cricket*)
o taco de golfe	golf club
as barras paralelas	parallel bars
os patins	skates
os patins de linha	roller-blades
o raquete (de ténis)	(tennis) racket
a rede	net
as botas de futebol, chuteiras	football boots
os esquis	skis
a sela	saddle
a prancha de surf	surfboard
a prancha de windsurf	sailboard

as instalações desportivas — places

o campo	course, court, ground, pitch
o campo de golfe	golf course
o campo de hóquei	hockey pitch
o campo/a quadra de ténis	tennis court
o campo de futebol	football pitch
o campo/estádio de desportos	sports ground

o centro desportivo	sports centre
os chuveiros	showers
a piscina	swimming pool
o ringue	rink
a pista	slope, track
a pista de ciclismo	cycle track
o ringue de patinagem	ice-rink
a pista de esqui	ski slope
o vestiário	changing room
o estádio	stadium
a prancha de saltos	diving board

a competição competing

o treino	training
a equipa (vencedora)	(winning) team
a corrida	race
a etapa	stage
o mêlée, a formação	scrum
a corrida contra-relógio	time-trial
a embalagem, o sprint	sprint
o jogo, a partida, o combate	match, game
o meio tempo	half-time
o golo [BP o gol]	goal
o resultado	result
a marcação [BP o escore]	score
o empate	draw
o prolongamento	extra time
a cobrança de pênalti	penalty kick
o desafio	game
a maratona	marathon
a competição desportiva	sporting event, competition
o campeonato	championship
o torneio	tournament, competition
o encontro	meeting
a prova eliminatória	heat
a final	final
o recorde (do mundo)	(world) record
os Jogos Olímpicos	Olympic Games
o Campeonato do Mundo	World Cup
a medalha	medal
a taça	cup

os participantes — people

o alpinista, o montanhista	mountaineer
o atleta	athlete
a atleta, a desportista	sportswoman
o atleta, o desportista	sportsman
o ciclista	(racing) cyclist
o corredor	runner
o esquiador	skier
o extremo	winger
o futebolista, o jogador de futebol	footballer
o guarda-redes	goalkeeper
o jogador	player
o mergulhador	diver
o patinador	skater
o pugilista	boxer
o tenista	tennis player
o adepto [BP o torcedor]	supporter
o árbitro	referee
o campeão	champion
o instrutor de esqui	ski instructor
o instrutor de natação	swimming instructor
o perdedor	loser
o segundo lugar	runner-up
o treinador	coach
o vencedor	winner

ele/ela pratica muito desporto [BP esporte]
he/she does a lot of sport

vamos jogar ténis [BP tênis]!
let's have a game of tennis!

ele/ela é cinturão negro de judo
he's/she's a black-belt in judo

as duas equipas empataram
the two teams drew

tiveram de ir a prolongamento
they had to go into extra time

o corredor cortou a meta
the runner crossed the finishing line

preparar, prontos, largar!
ready, steady, go!

See also section **2 CLOTHES AND FASHION.**

20. O TEMPO LIVRE E OS HOBBIES
LEISURE AND HOBBIES

interessar-se por, estar interessado em	to be interested in
divertir-se	to enjoy oneself
aborrecer-se	to be bored
ler	to read
desenhar	to draw
pintar	to paint
fazer bricolage	to do DIY
construir	to build
tirar fotografias	to do photography
coleccionar	to collect
cozinhar	to cook
jardinar	to do gardening
coser	to sew
tricotar, fazer malha	to knit
dançar	to dance
cantar	to sing
jogar	to play (*game*)
tocar	to play (*musical instrument*)
navegar na Internet	to surf the Internet
participar em	to take part in
ganhar	to win
perder	to lose
derrotar	to beat
fazer batota	to cheat
passear	to go for walks
dar uma volta de bicicleta	to go for a cycle ride
andar de bicicleta	to cycle
dar uma volta de carro	to go for a run in the car
ir à pesca	to go fishing
interessante	interesting
apaixonante	fascinating, exciting

apaixonado por	very keen on
aborrecido	boring
o passatempo	pastime
o lazer, o tempo livre	spare time
a leitura	reading
o livro	book
a banda desenhada	comic book, cartoons
a revista	magazine
a poesia	poetry
o poema	poem
a pintura	painting
o pincel	brush
a escultura	sculpture
a cerâmica	pottery
o bricolage	DIY
o modelismo	model-making
o martelo	hammer
a chave de parafusos	screwdriver
o prego	nail
o parafuso	screw
o berbequim	drill
a serra	saw
a lima	file
a cola	glue
a tinta	paint
a fotografia	photography
a foto(grafia)	photo(graph)
a máquina fotográfica	camera
o filme	film
o cinema	cinema
a câmara de vídeo	camcorder
o vídeo	video
a informática	computing
o computador	computer
os jogos electrónicos	computer games
a filatelia	stamp collecting
o selo	stamp
o álbum (de recortes)	album, scrapbook

a colecção	collection
a cozinha	cooking
a receita	recipe
a jardinagem	gardening
o regador	watering can
a pá	spade
a ancinho	rake
a enxada	hoe
a costura	dressmaking
a máquina de costura	sewing machine
a agulha	needle
a linha	thread
o dedal	thimble
o padrão	pattern
a tesoura	scissors
o tricô, a malha	knitting
a agulha de tricô	knitting needle
o novelo de lã	ball of wool
o crochê	crochet
o bordado	embroidery
a renda	lace
a dança	dancing
o ballet	ballet
a música	music
o canto	singing
a canção	song
o coro	choir
o piano	piano
o violino	violin
o violoncelo	cello
o clarinete	clarinet
a flauta	flute
a flauta de bisel	recorder
a viola	guitar
a guitarra (portuguesa)	Portuguese guitar
o tambor	drum
a bateria	drums
o baixo	bass

o jogo	game
o brinquedo	toy
o jogo de tabuleiro	board game
o xadrez	chess
as damas	draughts
o puzzle	jigsaw
as cartas	cards
os dados	dice
a aposta	bet
a excursão	excursion
a caminhada	hike
o ciclismo	cycling
a ornitologia	birdwatching

gosto de ler/de fazer tricô
I like reading/knitting

o Ricardo é muito habilidoso de mãos
Richard is very good with his hands

a Eduarda é uma grande apaixonada por cinema
Eduarda is very keen on cinema

tenho aulas de ballet
I take ballet lessons

de quem é a vez (de jogar)? – é a sua vez (de jogar)
whose turn is it? – it's your turn

See also sections **19 SPORT, 21 THE MEDIA, 22 AN EVENING OUT, 37 COMPUTERS AND THE INTERNET** *and* **44 CAMP-SITES AND YOUTH HOSTELS.**

21. OS MEDIA
THE MEDIA

ouvir	to listen to
escutar	to hear
ver	to watch, to see
ler	to read
folhear	to leaf through
dar uma olhadela	to glance through
ligar, acender	to switch on
desligar, apagar	to switch off
aumentar/baixar o volume	to turn the volume up/down
mudar de canal/estação/emissora	to switch over
transmitir	to broadcast

a rádio · radio

o (aparelho de) rádio	radio (set)
o transístor	transistor radio
o walkman	Walkman®, personal stereo
o programa (de rádio), a emissão	programme
o boletim infomativo	news bulletin
as notícias, o noticiário	news
a entrevista	interview
o concurso de rádio	radio quiz
o top	charts
o single	single
o álbum	album
o anúncio	commercial
o ouvinte	listener
a recepção	reception
a interferência	interference

a televisão · television

a televisão	TV
a televisão a cores	colour television
o televisor	television set
o ecrã	screen

a antena	aerial
o comando	remote control
o canal	channel
o programa, a emissão	programme
o telejornal	television news
o filme	film
o documentário	documentary
a série televisiva	series
a telenovela	soap opera
o episódio	episode
a previsão do tempo	weather forecast
o programa de entrevistas	chat show
o anúncio	commercial
o jornalista	newsreader
o locutor	announcer
o apresentador	presenter
o telespectador	viewer
a televisão por cabo	cable TV
a televisão digital	digital TV
a televisão por satélite	satellite TV
o (gravador de) vídeo	video recorder
o vídeo	video, video tape

a imprensa — press

o jornal	newspaper
o jornal da manhã/tarde	morning/evening paper
o diário	daily paper
o semanário	weekly
a revista	magazine
a imprensa sensacionalista	gutter press
o jornalista	journalist
o repórter	reporter
o correspondente	correspondent
o editor-chefe	editor-in-chief
a reportagem	press report
o artigo	article
os títulos, os cabeçalhos	headlines
a coluna	(regular) column
a secção desportiva	sports column
o correio sentimental	agony column
o anúncio	advertisement

a publicidade	advertising
os anúncios classificados, os pequenos anúncios	classified ads
a conferência de imprensa	press conference
a agência noticiosa	news agency
a tiragem	circulation

em ondas curtas/médias/longas
on short/medium/long wave

no ar
on the radio/air

o que é que dá na televisão hoje à noite?
what's on TV tonight?

em directo/ao vivo de Wimbledon
live from Wimbledon

22. OS DIVERTIMENTOS NOCTURNOS
AN EVENING OUT

sair	to go out
encontrar	to meet
ir ter com	to meet up with
ir dançar	to go dancing
ir ver	to go and see
convidar	to invite
reservar	to book
aplaudir	to applaud
divertir-se	to enjoy oneself
estar aborrecido	to be bored
ir/voltar para casa	to go/come home
acompanhar	to accompany
oferecer	to offer
encomendar, pedir	to order
recomendar	to recommend
sozinho	alone
(junto) com	(together) with

os espectáculos — shows

o teatro	theatre
o traje	costume
o palco	stage
o cenário	set
os bastidores	wings
a cortina	curtain
o vestiário	cloakroom
a orquestra	orchestra
o lugar	seat
a plateia	stalls
o balcão	dress circle
o camarote	box
a galeria	gods
o intervalo	interval

o programa	programme
a bilheteira [BP bilheteria]	box office
a representação, a realização	performance (*presentation*)
a actuação	performance (*by actor*)
a estréia	first night, première
a peça	play
o drama	drama
a comédia	comedy
a tragédia	tragedy
a ópera	opera
a opereta	operetta
o ballet	ballet
o concerto de música clássica	classical music concert
o concerto de rock	rock concert
o espectáculo	show
o circo	circus
os fogos-de-artifício	fireworks
os espectadores, o público	audience
o/a arrumador/a [BP a lanterninha]	usher, usherette
o actor/a actriz	actor/actress
o bailarino	dancer
o maestro	conductor
o músico	musician
o mágico, o ilusionista	magician
o palhaço	clown

o cimena   cinema

o filme	film
a bilheteira [BP bilheteria]	ticket office
a sessão	showing
o bilhete	ticket
o ecrã	screen
o projector	projector
o desenho animado	cartoon
o documentário	documentary
o filme histórico	historical film
o filme de horror	horror film

o filme policial	detective film
o filme de ficção científica	science-fiction film
o filme de cowboys, o western	western
as legendas	subtitles
a dobragem	dubbing
o filme a preto e branco	black and white film
o realizador	director
a estrela (de cinema)	(film) star

as discotecas e os bailes — discos and dances

o baile	dance
o salão de baile	dance hall
a discoteca	disco
o clube nocturno, a boate	nightclub
o bar	bar
o disco	record
a pista de dança	dance floor
o rock	rock-and-roll
o grupo pop	pop group
a música folk	folk (music)
o slow	slow number
o disc-jockey	DJ
o/a cantor/a	singer
o porteiro	bouncer

ir comer fora — eating out

o restaurante	restaurant
a tasca	(small) restaurant
o café-bar, o pub	pub
a pizzeria	pizzeria
o café	snack bar
o pronto-a-comer, a comida rápida	fast-food restaurant
a marisqueira	seafood restaurant
a comida a peso	food by weight
o empregado de mesa [BP o garçom]	waiter
a empregada de mesa [BP a garçonete]	waitress
a ementa, a lista [BP o cardápio]	menu

a ementa turística	tourist (set) menu
o prato típico	typical dish
o prato do dia	dish of the day
a carta de vinhos	wine list
a conta	bill
a gorjeta	tip

o restaurante chinês	Chinese restaurant
o restaurante indiano	Indian restaurant
o restaurante italiano	Italian restaurant

os convites — invitations

os convidados	guests
o anfitreão/a anfitrã	host/hostess
o presente, a prenda	present
o ramo de flores	bunch of flowers
a caixa de chocolates	box of chocolates
a bebida	drink
as batatas fritas	crisps
os amendoins	peanuts
a festa	party
o aniversário	birthday
as velas	candles

o tabaco — tobacco

fumar	to smoke
acender	to light
apagar, esmagar	to put out, to stub out

o cigarro	cigarette
o charuto	cigar
o cigarro sem filtro	unfiltered cigarette
a beata	stub
o cachimbo	pipe
o fósforo	match
o isqueiro	lighter
o maço de cigarros	packet of cigarettes
a bolsa de tabaco	packet of tobacco
o tabaco de cachimbo	pipe tobacco
a caixa de fósforos	box of matches
a cinza	ash

o cinzeiro	ashtray
a fumada, o fumo	smoke

tem (tens) lume?
have you got a light, please?

bis!
encore!

serviço incluído
service included

o que é que dá no cinema hoje à noite?
what's showing at the cinema tonight?

quer(queres) sair hoje à noite?
do you want to go out tonight?

onde/a que horas é que nos encontramos?
where/what time shall we meet?

See also section **16 FOOD.**

23. O MEU QUARTO
MY ROOM

o chão	floor
o alcatifa [BP o tapete]	(fitted) carpet
o tecto	ceiling
a parede	wall
a porta	door
a janela	window
as cortinas	curtains
as venezianas, as portadas	shutters
os estores, as persianas	Venetian blinds
o papel de parede	wallpaper

o mobiliário — furniture

a cama	bed
a colcha, a cobertra	bedspread
a mesa-de-cabeceira	bedside table
a cómoda	chest of drawers
o toucador	dressing table
o guarda-fatos [BP o guarda-roupa], o roupeiro	wardrobe
o armário	cupboard
a secretária	desk
a cadeira	chair
o banco	stool
a poltrona	armchair
o sofá	sofa
as prateleiras	shelves
a estante	bookcase

os objectos — objects

o candeeiro	lamp
o candeeiro de mesa-de-cabeceira	bedside lamp
o abajur	lampshade
o despertador	alarm clock
o rádio despertador	radio alarm

o tapete	rug
o cartaz	poster
o quadro	picture
a fotografia	photograph
o espelho	mirror
o livro	book
a revista	magazine
a banda desenhada	comic
a agenda, o diário	diary
o jogo	game
o brinquedo	toy

See also sections **15 DAILY ROUTINE AND SLEEP** *and* **24 THE HOUSE.**

24. A CASA
THE HOUSE

viver	to live
mudar-se para	to move to
mudar (de casa)	to move (house)
alugar	to let
alugar, arendar	to rent
o aluguel	rent
a hipoteca	mortgage
a mudança	removal
o inquilino	tenant
o proprietário	owner
o porteiro	caretaker
o carregador (de mudanças)	removal man
a casa	house
o edifício, o prédio	building
o arranha-céu	skyscraper
a moradia isolada	detached house
o condomínio	condominium
a moradia geminada	semi-detached house
a fileira de casas contíguas	terraced houses
a habitação de renda económica, a casa popular	council flat
o bloco de apartamentos	block of flats
o estúdio	studio flat
o apartamento (mobilado)	(furnished) flat

as partes da casa — parts of the house

a cave	basement
o rés-do-chão, o piso térreo	ground floor
o (primeiro) andar/piso	(first) floor
o sótão	loft, attic
a cave, a adega	cellar
a divisão, a assoalhada	room

o patamar	landing
as escadas	stairs
o degrau	step
o corrimão	banister
o elevador, o ascensor	lift
a parede	wall
o telhado	roof
a telha	roof tile
o chaminé	chimney
a lareira	fireplace
a porta	door
a porta da entrada	front door
a janela	window
o peitoril da janela	(window) sill
a porta de vidro	French window
a sacada	balcony
o pátio	patio, courtyard
a varanda	veranda
a garagem	garage
em cima	upstairs
em baixo	downstairs
dentro	inside
fora	outside

as divisões — the rooms

o quarto	room
a entrada	entrance (hall)
o hall	hall
a cozinha	kitchen
a sala de jantar	dining room
a sala de estar	living room
a sala de visitas, o salão	sitting room, lounge
o escritório	study
a biblioteca	library
o quarto (de dormir)	bedroom
a casa de banho [BP o banheiro]	toilet, bathroom

o mobiliário — furniture

a cadeira	chair
a poltrona	armchair
a cadeira de baloiço	rocking chair
o sofá	sofa
a mesa	table
a mesa de café	coffee table
o louceiro	dresser
a estante	bookcase
o aparador	sideboard
a mesa de rodas	trolley
a secretária	desk
as prateleiras	shelves
o piano	piano
a cama	bed
o guarda-fato [BP o guarda-roupa], o roupeiro	wardrobe
o chuveiro	shower
o lavatório	washbasin
a banheira	bathtub
o bidé	bidet
a retrete	WC
o armário de casa de banho	bathroom cabinet

os objectos e utensílios — objects and fittings

o alcatifa [BP o tapete]	(fitted) carpet
a almofada	cushion
a antena	aerial
a aquecimento central	central heating
o ar condicionado	air conditioning
o azulejo	tile
a balança de casa de banho [BP o banheiro]	bathroom scales
o bengaleiro	coat rack
o bibelô	ornament
a caixa de correio	letterbox
o caixote do lixo	bin
a campainha	doorbell
o candeeiro	lamp
o candeeiro de pé	standard lamp
o capacho	doormat

o cartaz	poster
o castiçal	candlestick
o cesto (de papéis)	(wastepaper) basket
a chave	key
o cinzeiro	ashtray
o escadote	ladder
o espelho	mirror
a fechadura	keyhole
o ferrolho	bolt
a ficha [BP a tomada]	plug (*electric*)
a fotografia	photograph
a gaveta	drawer
a lâmpada	bulb
a lava-loiça, a pia	sink
o lustre	chandelier
a moldura	picture frame
o papel de parede	wallpaper
o puxador, a maçaneta da porta	door handle, doorknob
o quadro	picture
o radiador	radiator
o suporte para guarda-chuvas	umbrella stand
o suporte para revistas	magazine rack
o tampão	plug (*bath*)
o tapete	rug
o tapete de casa de banho [BP o banheiro]	bathmat
a torneira	tap
o vaso	vase
a vela	candle
o rádio	radio
o televisor portátil	portable television
a aparelhagem estereofónica	stereo
o gravador de cassetes	tape recorder
o gravador portátil [BP o toca-fitas]	portable cassette player
o leitor de CDs	CD player
o leitor de cassetes	tape player
o gira-discos [BP o toca-discos]	record player
o disco	record
o cassete [BP a fita]	cassette

o disco compacto	compact disc
o CD	CD
o DVD	DVD
a máquina de escrever	typewriter
o computador	computer
o gravador de vídeo	video (recorder)
a cassete de vídeo	video cassette
o processador de texto	word-processor

o jardim — the garden

a horta	vegetable garden
o relvado	lawn
a relva [BP a grama]	grass
as ervas daninhas	weeds
o canteiro	flowerbed
a estufa	greenhouse
o mobiliário de jardim	garden furniture
a espreguiçadeira	deckchair
o carrinho de mão	wheelbarrow
a máquina de cortar relva	lawnmower
o regador	watering can
o grelhador de churrasco	barbecue
o caminho	path
a cerca	fence
o portão	gate

See also sections **17 HOUSEWORK** and **23 MY ROOM**.

25. A CIDADE
THE CITY

a vila	(small) town
a cidade	city
a aldeia	village
os subúrbios	outskirts, suburbs
o bairro	district
os arredores	surrounding area
a área	area
a área urbana	built-up area
a zona/o parque industrial	industrial estate
o bairro residencial	residential district
a parte antiga da cidade	old town
o centro da cidade	city centre
a residência universitária, a república	university halls of residence
a cidade-dormitório	dormitory town
os bairros pobres/de lata [BP as favelas]	slums
a avenida	avenue, boulevard
o beco sem saída	cul-de-sac
o circular	ring road
a praça	piazza, square
a rua	road, street
a estrada	road (*larger*)
a rua principal	main street
a zona pedonal	pedestrian precinct
o beco, a ruela	alleyway
o passeio [BP a calçada]	pavement
o parque de estacionamento	car park
o parquímetro	parking meter
a passagem subterrânea	underpass, subway
os esgotos	sewers
o candeeiro	street lamp
o parque	park
os jardins públicos	public gardens

o cemitério	cemetery
a ponte	bridge
o porto	harbour
o aeroporto	airport
a estação de comboios [BP trens]	(railway) station
o rodoviária, a estação de auto-carros [BP ônibus]	bus station
o metro	underground
o estádio	stadium

os edifícios — buildings

o edifício, o prédio	building
o bloco de apartamentos	block (of flats)
a câmara municipal [BP a prefeitura]	town hall
os tribunais	law courts
o posto de turismo	tourist information office
os correios	post office
o banco	bank
a biblioteca	library
a esquadra [BP a delegacia] da polícia	police station
a escola	school
o quartel	barracks
o quartel de bombeiros	fire station
o prisão, a penitenciária	prison
a fábrica	factory
o hospital	hospital
a clínica	clinic
o centro cultural	arts centre
o centro desportivo	sports centre
o teatro	theatre
o cinema	cinema
o museu	museum
a galeria de arte	art gallery
o castelo	castle
o palácio	palace
a torre	tower
a catedral, a Sé	cathedral
a igreja	church
a capela	chapel

o campanário	steeple
a sinagoga	synagogue
a mesquita	mosque
o monumento	monument
o monumento comemorativo	memorial
o monumento aos mortos	war memorial
a estátua	statue
a fonte	fountain

as pessoas — people

os citadinos	city dwellers
o habitante	inhabitant
o transeunte	passer-by
os peões	pedestrians
o turista	tourist

vivo nos arredores do Porto
I live on the outskirts of Oporto

vamos à cidade
we're going to town

ele/ela vive em Cascais e trabalha em Lisboa
he/she commutes between Cascais and Lisbon

See also sections **18 SHOPPING, 22 AN EVENING OUT, 26 CARS, 42 PUBLIC TRANSPORT, 46 GEOGRAPHICAL TERMS** *and* **65 DIRECTIONS.**

26. OS AUTOMÓVEIS
CARS

conduzir, guiar [BP dirigir]	to drive
ligar o motor, arrancar	to start up
abrandar	to slow down
travar [BP frear]	to brake
acelerar	to accelerate
meter (uma) mudança	to change gear
parar	to stop
estacionar	to park
ultrapassar	to overtake
dar meia-volta	to do a U-turn
acender os faróis	to switch on one's lights
apagar os faróis	to switch off one's lights
fazer sinais de luzes	to flash one's headlights
deslumbrar	to dazzle
atravessar	to cross, to go through
verificar	to check
dar uma boleia [BP uma carona]	to give a lift
dar prioridade/passagem	to give way
ter prioridade	to have the right of way
buzinar	to hoot
derrapar	to skid
ter uma avaria	to break down
ficar sem gasolina	to run out of petrol
encher o depósito	to fill up
mudar uma roda	to change a wheel
rebocar	to tow
reparar	to repair
cometer uma infracção	to commit an offence
respeitar/ultrapassar o limite de velocidade	to keep to/to break the speed limit
passar um sinal vermelho	to jump a red light
ignorar um sinal de stop	to ignore a stop sign
obrigatório	compulsory
permitido	allowed

proibido	forbidden

os veículos — vehicles

o carro, o automóvel	car
com transmissão automática	automatic
o carro em segunda mão	second-hand car
a carripana	old banger
o carro com duas/cinco portas	two-/five-door car
o carro utilitário familiar	estate car
o carro de turismo	saloon
o carro de corrida	racing car
o carro desportivo	sports car
o carro com tracção dianteira	front-wheel drive (car)
o carro com tracção às quatro rodas	four-wheel drive (car)
o caro com volante à direita	right-hand drive (car)
o descapotável	convertible
a cilindrada	cc
a marca	make
o táxi	taxi
o camião [BP o caminhão]	lorry
o camião com reboque	articulated lorry
a camioneta, furgoneta	van
o reboque	breakdown lorry
a motocicleta (moto)	motorbike
a motorizada	moped
a lambreta	scooter
a autocaravana	camper van
a caravana	caravan
o atrelado	trailer

os utilizadores da estrada — road users

o automobilista	motorist
o condutor	driver
o condutor imprudente	reckless driver
o automobilista de domingo	Sunday driver
o passageiro	passenger
o motorista de táxi, o taxista	taxi driver
o camionista	lorry driver

o motociclista	motorcyclist
o ciclista	cyclist
a pessoa que anda à boleia	hitch-hiker
o peão	pedestrian

as peças e partes do automóvel

car parts

o acelerador	accelerator
a alavanca de mudanças/velo-cidades	gear lever
o amortecedor	shock absorber
o aquecimento	heating
o auto-rádio	car radio
a bagageira (de tecto)	roof rack
o banco da frente/de trás	front/back seat
a bateria	battery
o (botão de abertura do) ar	choke
a buzina	horn
a caixa de velocidades	gearbox
a capota	bonnet
o carburador	carburettor
a carroçaria	body
o chassis	chassis
o conta-quilómetros	mileometer
a correia da ventoinha	fan belt
o depósito	petrol tank
a embraiagem [BP a embreagem]	clutch
o espelho (retrovisor)	(rearview) mirror
os faróis altos	headlights on full beam
os faróis baixos	dipped headlights
os faróis de frente	headlights
os faróis de nevoeiro	fog lamps
os faróis de trás	rear lights
a fechadura	lock
o filtro	filter
o guarda-lamas	wing
a ignição	ignition
o indicador de nível do óleo/da	oil/petrol gauge
o indicador, o pisca-pisca	indicator
a janela	window
o limpa pára-brisas	windscreen wiper

as luzes laterais	sidelights
o macaco	jack
a mala	boot
a marcha atrás	reverse
a (chapa de) matrícula	number plate
o motor	engine
o motor de arranque	starter motor
as mudanças, as velocidades	gears
o pára-brisas	windscreen
o pára-choques	bumper
a peça sobressalente	spare part
o pedal	pedal
o pneu	tyre
o pneu sobressalente	spare wheel
o ponto morto	neutral
a porta	door
a primeira (mudança)	first gear
a quarta (mudança)	fourth gear
a quinta (mudança)	fifth gear
o radiador	radiator
a roda	wheel
a segunda (mudança)	second gear
o sistema eléctrico	electrical system
a suspensão	suspension
o tablier	dashboard
a tampa do depósito	petrol cap
o tampão (da roda)	hub cap
a terceira (mudança)	third gear
as tomadas	points
a transmissão	transmission
o travão de mão	handbrake
os travões [BP os freios]	brakes
o tubo de escape	exhaust
a vela de ignição	spark plug
gasolina	
o velocímetro	speedometer
o volante	steering wheel
a gasolina	petrol
a gasolina normal	two-star (petrol)
a gasolina super	four-star (petrol)

a gasolina sem chumbo	unleaded (petrol)
o combustível	fuel
o gasóleo, o diesel	diesel
o óleo	oil
o anticongelante	antifreeze
os gases de escape	exhaust fumes

os problemas

problems

a garagem, a oficina	garage
o mecânico de automóveis	car mechanic
a estação de serviço	petrol station
a bomba de gasolina	petrol pump
o seguro	insurance
o apólice de seguro	insurance policy
a carta de condução	driving licence

o livrete do automóvel	car registration book
a carta verde	green card
a vinheta do imposto de circulação	road tax disc
o código da estrada	Highway Code
a velocidade	speed
o excesso de velocidade	speeding
a infracção	offence
a multa por estacionamento indevido	parking ticket
a multa	fine
a prioridade	right of way
(o sinal de) estacionamento proibido	no parking sign
o pneu furado	flat tyre
a avaria	breakdown
o engarrafamento	traffic jam
o desvio	diversion
as obras na estrada	roadworks
a camada de gelo na estrada	black ice
a visibilidade	visibility

na estrada

driving along

o trânsito, a circulação	traffic
a mapa das estradas	road map

a estrada	road
a estrada nacional	main road
a estrada secundária	B road
a auto-estrada [BP a rodovia]	motorway
a berma	hard shoulder
a rua de sentido único	one-way street
a faixa	lane
o sinal de trânsito	road sign
o sinal de stop	stop sign
o semáforo, os sinais luminosos	traffic lights
o passeio	pavement
a passadeira, a passagem de peões	pedestrian crossing
a curva	bend
a placa central	central reservation
o cruzamento	crossroads
o trevo	motorway junction
o acesso	junction
a rotunda	roundabout
a portagem [BP o pedágio]	toll
a cabine de portagem	toll station
a área de serviço	service area, motorway café
a passagem de nível	level crossing
o parquímetro	parking meter

de que marca é o carro? – é um Fiat
what make is the car? – it's a Fiat

não se importa de verificar o nível do óleo?
could you check the oil?

meta a terceira!
get into third gear!

ele/ela baixou as luzes para médios
he/she dipped his/her headlights

ele/ela ia a 110 quilómetros à hora
he/she was doing 110 km/h

em Portugal, conduz-se pela direita
in Portugal, they drive on the right

ponha o cinto de segurança!
fasten your seat belt!

tiraram-lhe a carta de condução
he lost his licence

fiz exame de condução na segunda-feira – passou (passaste)?
I sat my driving test on Monday – did you pass?

enganou-se (enganaste-te) no caminho
you've gone the wrong way

fiquei sem gasolina
I've run out of petrol

See also section **52 ACCIDENTS.**

27. A NATUREZA
NATURE

crescer	to grow
florescer, florir	to flower
secar	to dry (up)
ladrar	to bark
miar	to mew
mugir	to moo
balir	to bleat
relinchar	to neigh
rugir	to roar

a paisagem — landscape

o campo	field
o prado	meadow
a floresta	forest
o bosque	wood
a clareira	clearing
o pomar	orchard
a charneca	moor
o charco, o pântano	marsh
o deserto	desert
a selva	jungle

as plantas — plants

a planta	plant
a árvore	tree
o arbusto	shrub, bush
o raiz	root
o tronco	trunk
o ramo	branch
o galho	twig
o rebento	shoot
o botão	bud
a flor	flower

o botão	blossom
a folha	leaf
a folhagem	foliage
a casca	bark
a pinha	pine cone
a castanha	horse chestnut
a bolota	acorn
a baga	berry
o trevo	clover
o cogumelo (comestível)	(edible) mushroom
o cogumelo venenoso	toadstool
os fetos	ferns
a erva	grass
a urze	heather
o azevinho	holly
a hera	ivy
o visco	mistletoe
o musgo	moss
o junco	reed
a vinha	vine, vineyard
o vinhedo	vineyard
as ervas daninhas	weeds

as árvores — trees

a conífera	conifer
a árvore de folhas caducas	deciduous tree
a árvore de folhas perenes	evergreen
o abeto	fir tree
a bétula	birch
o bordo, o ácer	maple tree
o castanheiro	chestnut, oak tree
o castanheiro-da-índia	horse chestnut tree
o cedro	cedar
o choupo, o álamo	poplar
o cipreste	cypress
a faia	beech
o freixo	ash tree
a nogueira	walnut tree
o olmo	elm

o pinheiro	pine tree
o plátano	plane tree
o salgueiro-chorão	weeping willow
o teixo	yew tree

as ávores de fruto | fruit trees

a ameixoeira	plum tree
a amendoeira	almond tree
a cerejeira	cherry tree
o damasqueiro	apricot tree
a figueira	fig tree
a laranjeira	orange tree
o limoeiro	lemon tree
a macieira	apple tree
a pereira	pear tree
o pessegueiro	peach tree

as flores | flowers

as flores silvestres	wild flowers
o caule	stem
a pétala	petal
o pólen	pollen

a anémona	anemone
a centáurea	cornflower
o cíclame	cyclamen
o cravo	carnation
o crisântemo	chrysanthemum
a dália	dahlia
o dente-de-leão	dandelion
as ervilhas-de-cheiro	sweetpeas
o espinheiro	hawthorn
o galanto	snowdrop
o gerânio	geranium
o girassol	sunflower
o íris	iris
o jacinto	hyacinth
o jasmim	jasmine
o lilás	lilac
o lírio	lily
o lírio-do-vale	lily of the valley

a madressilva	honeysuckle
o malmequer, a margarida	daisy
o miosótis	forget-me-not
o narciso	narcissus, daffodil
a orquídea	orchid
a papoila	poppy
a petúnia	petunia
a primavera	primrose
o ranúnculo	buttercup
o rododendro	rhododendron
a rosa	rose
a túlipa	tulip
a violeta	violet

os animais domésticos · pets

o cachorro	puppy [BP dog]
a cadela	bitch
o cão [BP o cachorro]	dog
o gatinho	kitten
o gato	cat
o hamster	hamster
o peixinho vermelho	goldfish
o porquinho-da-índia	guinea pig

os animais da quinta · farm animals

o bezerro, o vitelo	calf
o boi	ox
o burro	donkey
a cabra/o bode	nanny-/billy-goat
o cabrito	kid
o carneiro	ram
o cavalo/a égua	horse/mare
o cordeiro, o borrego	lamb
o galo/a galinha	cock/hen
o ganso	goose
a mula	mule
a ovelha	sheep, ewe
o patinho	duckling
o pato	duck
o peru	turkey
o pinto	chick

o porco/a porca	pig/sow
o potro	foal
o touro	bull
a vaca	cow

os animais selvagens · wild animals

a cauda	tail
o focinho	snout
as garras	claws
o mamífero	mammal
a pata	leg, paw
o peixe	fish
o réptil	reptile
a tromba	trunk

o antílope	antelope
a baleia	whale
o búfalo	buffalo
o camelo	camel
o canguru	kangaroo
o castor	beaver
o cervo	stag, deer
a coala	koala bear
o coelho	rabbit
a doninha	weasel
o dromedário	dromedary
o elefante	elephant
o esquilo	squirrel
a foca	seal
a gazela	gazelle
a girafa	giraffe
os girinos	tadpoles
o golfinho	dolphin
o hipopótamo	hippopotamus
o javali	wild boar
o leão/a leoa	lion/lioness
o lebre	hare
o leopardo	leopard
o lobo	wolf
o macaco	monkey
o ouriço	hedgehog

o rã	frog
a raposa	fox
a ratazana [BP o rato]	rat
o rato [BP o camundongo]	mouse
o sapo	toad
a tartaruga	tortoise, turtle
o tigre	tiger
o tubarão	shark
o urso	bear
o veado	deer
a zebra	zebra

os répteis — reptiles

o cascavel	rattlesnake
a cobra	snake
a cobra de capelo	cobra
o crocodilo	crocodile
o jacaré	alligator
a jibóia	boa
o lagarto	lizard
o serpente	snake
a víbora	adder

os pássaros — birds

a asa	wing
a ave	bird
a ave de rapina	bird of prey
a ave nocturna	night hunter
o bico	beak
as garras	talons
a pata	foot
a pluma, a pena	feather

o abutre	vulture
a águia	eagle
a andorinha	swallow
a avestruz	ostrich
o canário	canary
a cegonha	stork
o cisne	swan
a coruja	owl

o corvo	crow
a cotovia, a calhandra	lark
o cuco	cuckoo
o estorninho	starling
o faisão	pheasant
o falcão	falcon
o flamingo	flamingo
a gaivota	seagull
a garça	heron
o martim-pescador	kingfisher
o melro	blackbird
o mocho	owl
o papagaio	parrot
o pardal	sparrow
o pavão	peacock
a pega	magpie
o periquito	budgerigar, budgie
o pinguim	penguin
o pisco de peito ruivo	robin
a pomba	dove
o pombo	pigeon
o rouxinol	nightingale
o tentilhão	chaffinch

os insectos — insects

a abelha	bee
o abelhão	bumblebee
a aranha	spider
a barata	cockroach
a borboleta	butterfly
a carcoma	woodworm
a formiga	ant
o gafanhoto	grasshopper
o grilo	cricket
a joaninha	ladybird
a lagarta	caterpillar
a libélula	dragonfly
a mariposa	moth
a mosca	fly
o mosquito, a melga	midge, mosquito
a pulga	flea

a traça	clothes moth
a vespa	wasp
o zangão	bumblebee

See also sections **45 AT THE SEASIDE** *and* **46 GEOGRAPHICAL TERMS.**

28. COMO ESTÁ O TEMPO?
WHAT'S THE WEATHER LIKE?

chover	to rain
chuviscar	to drizzle
nevar	to snow
gelar	to be freezing, to freeze (over)
chover granizo	to hail
soprar	to blow
brilhar	to shine
derreter	to melt
piorar	to get worse
melhorar	to improve
mudar	to change
clarear	to clear up
encoberto, enublado	overcast
nublado	cloudy
descoberto, limpo	clear
tempestuoso	stormy
pesado, abafado	muggy
seco	dry
quente	warm, hot
frio	cold
ameno	mild
agradável	pleasant
mau	bad
horrível	awful
variável	changeable
húmido	damp
chuvoso	rainy
ao sol	in the sun
à sombra	in the shade
o tempo	weather
a temperatura	temperature
a meteorologia	meteorology

a previsão meteorológica	weather forecast
o boletim meteorológico	weather report
o clima	climate
a atmosfera	atmosphere
a pressão atmosférica	atmospheric pressure
a melhoria	improvement
a piora	worsening
o termómetro	thermometer
o grau	degree
o barómetro	barometer
o céu	sky

a chuva — rain

a gota de chuva	raindrop
a chuva torrencial	downpour
o aguaceiro	shower
a trovoada	(thunder)storm
o granizo	hail
a pedrinha de granizo	hailstone
a nuvem	cloud
a camada de nuvens	layer of cloud
o orvalho	dew
o chuvisco	drizzle
o nevoeiro	fog
a bruma, a névoa	mist
o charco	puddle
a inundação	flood
o trovão	thunder
o relâmpago	lightning
a faísca, o raio	(flash of) lightning
a aberta	sunny interval
o arco-íris	rainbow
a humidade	humidity

o frio — cold weather

a chuva com neve	sleet
a neve	snow
o floco de neve	snowflake
a queda de neve	snowfall
a tempestade de neve	snowstorm
a avalancha	avalanche

a bola de neve	snowball
o limpa-neve	snowplough
o boneco de neve	snowman
a geada	frost
o degelo	thaw
a (camada de) geada	(hoar) frost
o gelo	ice

o bom tempo — good weather

o sol	sun
o raio de sol	ray of sunshine
o calor	heat
a vaga/onda de calor	heatwave
a canícula	scorching heat
a seca	drought

o vento — wind

a corrente de ar	draught
a rajada de vento	gust of wind
o vento norte	North wind
a brisa	breeze
o furacão	hurricane
o tornado	tornado
a tempestade	storm

está bom/mau tempo
the weather is good/bad

estão trinta graus à sombra
it's thirty degrees in the shade

estão vinte graus abaixo de zero
it's minus twenty

está a chover (a cântaros)
it's raining (cats and dogs)

está a nevar
it's snowing

está sol/nevoeiro/um gelo
it's sunny/foggy/icy

esta sala está gelada!
it's freezing in this room!

estou a derreter de calor/estou gelado
I'm sweltering/freezing

faz vento
the wind's blowing

faz sol
the sun's shining

está a trovejar
it's thundering

29. A FAMÍLIA E OS AMIGOS
FAMILY AND FRIENDS

a família	the family
os pais	parents
o parente	relative
a mãe	mother
o pai	father
a mamã	mum
o papá	dad
os filhos	children (*sons and daughters*)
as crianças	children, kids, babies
o/a filhinho/a	little boy/girl
o bebé	baby
o/a filho/a único/a	only child
a filha	daughter
o filho	son
os filhos adoptivos	adopted children
os pais adoptivos	adoptive parents
a irmã	sister
a irmã gémea	twin sister
a meia-irmã	half-sister
o meio-irmão	half-brother
o irmão	brother
o irmão gémeo	twin brother
a avó	grandmother
o avô	grandfather
os avós	grandparents
os netos	grandchildren
o neto	grandson
a neta	granddaughter
o sobrinho	nephew
a sobrinha	niece
a bisavó	great-grandmother
o bisavô	great-grandfather
a mulher, a esposa	wife

o marido, o esposo	husband
a noiva	fiancée
o noivo	fiancé
a madrasta	stepmother
o padrasto	stepfather
a enteada	stepdaughter
o enteado	stepson
a sogra	mother-in-law
o sogro	father-in-law
a cunhada	sister-in-law
a nora	daughter-in-law
a tia	aunt
o tio	uncle
o/a primo/a	cousin
a madrinha	godmother
o padrinho	godfather
a afilhada	goddaughter
o afilhado	godson

os amigos   friends

o/a amigo/a	friend
o amigo da escola	school friend
o namorado	boyfriend
a namorada	girlfriend
o/a vizinho/a	neighbour
o conhecido	acquaintance
o amigo chegado	close friend

tem (tens) irmãos?
have you got any brothers and sisters?

não tenho irmãos
I have no brothers or sisters

sou filho/a único/a
I'm an only child

a minha mãe está à espera de bebé
my mother is expecting a baby

gosto muito da sua (tua) irmã/prima/tia
I like your sister/cousin/aunt very much

sou o/a mais velho/a
I am the oldest

o meu irmão mais velho tem 17 anos
my big brother is 17

a minha irmã mais velha é cabeleireira
my eldest sister is a hairdresser

estou a tomar conta da minha irmãzinha
I'm looking after my little sister

o meu irmão mais novo chucha no dedo
my youngest brother sucks his thumb

a Patrícia é a minha melhor amiga
Patricia is my best friend

não são aparentados
they are not related

eles dão-se bem
they get on well

See also section **8 IDENTITY.**

30. A ESCOLA E A EDUCAÇÃO
SCHOOL AND EDUCATION

ir à escola, andar na escola	to go to school
estudar	to study
aprender	to learn
ensinar	to teach
decorar	to learn by heart
fazer os trabalhos de casa	to do one's homework
recitar/declamar um poema	to recite a poem
perguntar	to ask
responder	to answer
sussurar a resposta	to whisper the answer
ir ao quadro	to go to the blackboard
saber	to know
corrigir	to correct, to mark
ter nota para passar	to get a pass-mark
rever	to revise
fazer um exame	to sit an exam
passar nos exames	to pass one's exams
reprovar num exame	to fail an exam
cabular [BP colar]	to cheat
repetir um ano	to repeat a year
expulsar	to expel
suspender	to suspend
castigar	to punish
fazer gazeta, faltar à escola	to play truant
ausente	absent
brilhante	brilliant
hábil	able
aplicado	hard-working
distraído	inattentive
indisciplinado	undisciplined
inteligente	clever
presente	present
estudioso	studious

a creche	crèche
o infantário, o jardim de infância	nursery school
a escola primária	primary school
a escola secundária	secondary school
o colégio	secondary school
a escola politécnica	polytechnic college
o ensino superior	higher education
o instituto técnico	technical college
a escola interna, o internato	boarding school
a escola pública	state school
a escola privada	private school, public school
a escola nocturna	night school
a universidade	university

na escola / at school

a sala de aula	classroom
o gabinete do director	headmaster's office
a biblioteca	library
o laboratório	laboratory
o labatório de línguas	language lab
o refeitório, a cantina	dining hall
o ginásio	gym
o pátio de recreio	playground

a sala de aula / the classroom

a carteira	desk
a secretária do professor	teacher's desk
a mesa	table
a cadeira	chair
o cacifo	locker
o quadro	blackboard
a giz	chalk
o pano	duster
a pasta	school-bag
o caderno	exercise book
o livro	book
o dicionário	dictionary
o estojo	pencil case
a esferográfica	ballpoint pen, Biro®
a caneta (de tinta permanente)	(fountain) pen
o lápis	pencil

a caneta de ponta de feltro	felt-tip pen
o apara-lápis [BP o apontador]	pencil sharpener
a borracha	rubber
a folha de papel	sheet of paper
o pincel	paintbrush
o tubo de tinta	(tube of) paint
os lápis coloridos	coloured pencils
o papel de desenho	drawing paper
a régua	ruler
o compasso	pair of compasses
o transferidor	protractor
o esquadro	set-square
a calculadora de bolso	pocket calculator
o computador	computer

a educação física — PE

as argolas	rings
a corda	rope
as barras paralelas	parallel bars
o cavalo (de arções)	horse
o trampolim	trampoline
a rede	net
a bola	ball

os professores e alunos — teachers and pupils

o professor do ensino primário	primary school teacher
o/a professor/a	teacher
o/a director/a	headmaster/headmistress
o professor de português	Portuguese teacher
o/a aluno/a	pupil, schoolboy/girl
o estudante	student
o interno	boarder
o externo	day-pupil
o burro	dunce
o melhor/pior da turma	top/bottom of the class
o bom/mau aluno	good/bad pupil
o amigo/colega da escola	schoolfriend

o ensino — teaching

o período, o trimestre	term
o horário	timetable

a matéria, a disciplina	subject
a lição	lesson
a aula, a turma	class
o programa	syllabus
o comportamento	behaviour
o curso	course
a aula de inglês	English class
o vocabulário	vocabulary
a gramática	grammar
a regra de gramática	grammatical rule
a conjugação	conjugation
a ortografia	spelling
a escrita	writing
a leitura	reading
o poema	poem
a matemática	maths
a álgebra	algebra
a aritmética	arithmetic
a geometria	geometry
o cálculo	sum
a subtracção	subtraction
a multiplicação	multiplication
a divisão	division
a equação	equation
o problema	problem
o círculo	circle
o triângulo	triangle
o quadrado	square
o rectângulo	rectangle
o ângulo	angle
o ângulo recto	right angle
a superfície	surface
o volume	volume
o cubo	cube
o diâmetro	diameter
a história	history
a geografia	geography
a ciência	science

a biologia	biology
a química	chemistry
a física	physics
a informática	computer studies
as línguas	languages
o português	Portuguese
o francês	French
o alemão	German
o espanhol	Spanish
a filosofia	philosophy
a redacção	essay, composition
o ensaio	essay, dissertation
a tradução	translation
a música	music
o desenho	drawing
a arte	art
os trabalhos manuais	handicrafts, CDT
a educação física	physical education
o trabalho de casa	homework
o exercício	exercise
a pergunta	question
a resposta	answer
o teste escrito	written test
o teste oral	oral test
o exame	exam(ination)
a falta, o erro	mistake
a boa/má nota	good/bad mark
o resultado	result
a aprovação	pass mark
o relatório	report
o prémio	prize
a bolsa de estudos	scholarship
o certificado	certificate
o diploma	diploma
a formatura	degree
a licenciatura	university degree

o bachelerato	polytechnic degree (*3 or 4 years*)
o mestrado	master's degree
o doutorado	doctorate
a disciplina	discipline
o castigo	punishment
o intervalo, o recreio	break
a campainha	bell
as férias escolares	school holidays
as férias do Natal	Christmas holidays
as férias da Páscoa	Easter holidays
o início das aulas/do ano lectivo	beginning of school year

a campainha tocou
the bell has gone

não entreguei o meu trabalho na hora/a horas/a tempo
I didn't hand in my work on time

31. O DINHEIRO
MONEY

comprar	to buy
vender	to sell
gastar	to spend
pedir emprestado (a)	to borrow (from)
emprestar (a)	to lend (to)
dever	to owe
pagar	to pay
pagar com cheque	to pay by cheque
pagar em dinheiro/em prestações	to pay cash/by instalments
devolver	to pay back
reembolsar	to reimburse
trocar	to change
trocar um cheque	to cash a cheque
comprar a crédito	to buy on credit
creditar	to credit
dar crédito	to give credit
levantar dinheiro	to withdraw money
depositar dinheiro	to pay in money
poupar, fazer economias	to save money
fazer contas	to do one's accounts
estar a descoberto	to be in the red
rico	rich
pobre	poor
falido	broke
milionário	millionaire
o dinheiro	money
a moeda	coin, currency
a nota	banknote
o dinheiro líquido	cash
o troco	change
o porta-moedas	purse
a carteira	wallet
as poupanças	savings

a despesa	expense
o banco	bank
a caixa de poupança	savings bank
o câmbio	foreign exchange office
a taxa de câmbio	exchange rate
a caixa	till, cash desk
o balcão	counter
o caixa automático, o multibanco	cash dispenser
a conta bancária	bank account
a conta corrente, a ordem	current account
a conta corrente postal	Giro account
a conta a prazo	savings/deposit account
o levantamento, o saque	withdrawal
a conta de depósitos, a prazo	deposit account
a transferência	transfer
o gerente do banco	bank manager
o empregado bancário	bank clerk
o cartão de crédito	credit card
o cartão de garantia de cheque	cheque card
o cheque	cheque
o livro/talão de cheques	chequebook
o cheque de viagem	traveller's cheque
o formulário	form
o vale postal/do correio	postal order
o crédito	credit
as dívidas	debt
o empréstimo	loan
os juros	interest
o extrato de conta	bank statement
a hipoteca	mortgage
a divisa, a moeda	currency
a Bolsa	Stock Exchange
a acção	share
a inflação	inflation
o custo da vida	cost of living

o imposto	tax
a IVA	VAT
o orçamento	budget
o euro	euro
o cêntimo	cent
a libra esterlina	pound sterling
o pence	pence
o dólar	dollar

uma nota de 10 euros
a 10-euro note

gostava de trocar 500 dólares em libras
I'd like to change 500 dollars into pounds

estou a poupar para comprar uma mota
I'm saving up to buy a motorbike

levantei 1000 euros a descoberto
I have an overdraft of 1000 euros

devo-lhe 10 euros
I owe him/her/you 10 euros

pedi 10,000 euros emprestados ao meu pai
I borrowed 10,000 euros from my father

pode emprestar-me dinheiro?
can you lend me some money?

estou teso
I'm broke

é difícil para mim viver com o dinheiro que recebo
I find it hard to make ends meet

See also sections **10 WORK AND JOBS** *and* **18 SHOPPING.**

32. TEMAS ACTUAIS
TOPICAL ISSUES

discutir	to discuss
debater	to argue (about)
protestar	to protest
brigar	to argue, to quarrel
criticar	to criticize
defender	to defend
manter	to maintain, to uphold
persuadir	to persuade
considerar	to weigh (up)
pensar, achar	to think
acreditar, crer	to believe
por	for
contra	against
a favor de	in favour of
oposto a	opposed to
intolerante	intolerant
tolerante	broad-minded
o tema	topic, subject
o problema	problem
a briga	argument
a demonstração	demonstration
a sociedade	society
os preconceitos	prejudice
a moral	morals
a mentalidade	mentality
o ambiente	environment
a conservação	conservation
a espécie ameaçada de extinção	endangered species
a chuva ácida	acid rain
o efeito de estufa	greenhouse effect

o aquecimento global	global warming
a camada de ozono	ozone layer
a reciclagem	recycling
os produtos orgânicos/integrais	organic products
a comida geneticamente modificada	genetically modified food
a paz	peace
a guerra	war
a pobreza	poverty
o desemprego	unemployment
a violência	violence
a criminalidade	crime
a corrupção	corruption
a contracepção	contraception
o aborto	abortion
a eutanásia	euthanasia
a doença de vaca louca	mad cow disease
a DCJ	CJD
a SIDA [BP o AIDS]	AIDS
a clonagem	cloning
o clone	clone
a igualdade	equality
a prostituição	prostitution
o racismo	racism
o terrorismo	terrorism
o negro	black person
o imigrante	immigrant
o refugiado político	political refugee
o asilo político	political asylum
o álcool	alcohol
o alcoólico	alcoholic
o tabaco	tobacco
o tabagismo	smoking
o tabagismo passivo	passive smoking
as drogas	drugs
a toxicomania	drug addiction
o haxixe	hashish

a cocaína	cocaine
a heroína	heroin
o ecstasy	ecstasy
o tráfico de droga	drug trafficking
o traficante	dealer

concordo consigo (contigo)
I agree with you

não concordo consigo (contigo)
I don't agree with you

creio que tem (tens) razão
I think you're right

creio que está (estás) errado
I think you're wrong

33. A POLÍTICA
POLITICS

governar	to govern, to rule
reinar	to reign
organizar	to organize
manifestar	to demonstrate
ir às urnas	to go to the polls
eleger	to elect
votar (a favor/contra)	to vote (for/against)
reprimir	to repress
abolir	to abolish
suprimir	to do away with
impor	to impose
legalizar	to legalize
nacionalizar	to nationalize
privatizar	to privatize
internacional	international
nacional	national
nacionalista	nationalist
político	political
governamental	governmental
democrático	democratic
conservador	conservative
liberal	liberal
trabalhador	labour
radical	radical
republicano	republican
democrata social	social democrat
democrata cristão	Christian democrat
socialista	socialist
comunista	communist
marxista	Marxist
fascista	fascist
anarquista	anarchist
capitalista	capitalist

extremista	extremist
verde, ambientalista	green
de direita	right-wing
de esquerda	left-wing
de centro	centre
moderado	moderate
a nação	nation
o país	country
o estado	state
a república	republic
a monarquia	monarchy
a pátria	native land
o governo	government
o parlamento	parliament
o conselho de ministros	Cabinet
o primeiro-ministro	Prime Minister
a constituição	constitution
o chefe de Estado	Head of State
o ministro	minister
o Ministro dos Negócios Estrangeiros	Foreign Secretary
o Ministro da Administração Interna	Home Secretary
o deputado	MP
o senador	senator
o político	politician
a política	politics
a diplomacia	diplomacy
as eleições	elections
o partido político	political party
a direita	right
a esquerda	left
o direito de voto	right to vote
o distrito eleitoral	constituency
a cédula eleitoral	ballot paper
a urna	ballot box
o candidato	candidate
a campanha eleitoral	election campaign

a sondagem de opinião	opinion poll
a cidadão	citizen
as negociações	negotiations
o debate	debate
a lei	law
a crise	crisis
a manifestação	demonstration
o golpe (de estado)	coup
a revolução	revolution
os direitos humanos	human rights
a ditadura	dictatorship
a ideologia	ideology
a democracia	democracy
o socialismo	socialism
o comunismo	communism
o fascismo	fascism
o pacifismo	pacifism
a neutralidade	neutrality
a unidade	unity
a liberdade	freedom
a glória	glory
a opinião pública	public opinion
a nobreza	nobility
a aristocracia	aristocracy
a classe média	middle classes
a classe trabalhadora	working classes
o povo	the people
o rei/a rainha	king/queen
o imperador/a imperatriz	emperor/empress
o príncipe/a princesa	prince/princess
a ONU	UN
as Nações Unidas	United Nations
a UE	EU
a União Europeia	European Union
a OTAN	NATO

34. A COMUNICAÇÃO
COMMUNICATING

dizer	to say, to tell
falar	to talk, to speak
repetir	to repeat
cavaquear [BP bater papo]	to chat
acrescentar	to add
declarar	to declare
manter	to maintain
fazer uma declaração	to make a statement
exprimir	to express
insistir	to insist
alegar	to claim
conversar (com)	to converse (with)
informar	to inform
indicar	to indicate
mencionar	to mention
prometer	to promise
gritar	to shout, to yell
guinchar	to shriek
sussurar	to whisper
murmurar	to murmur
tartamudear	to mumble
gaguejar	to stammer
enervar-se	to get worked up
responder	to reply
retorquir	to retort
argumentar	to argue
brigar	to quarrel
discutir	to discuss
supor	to assume
persuadir	to persuade
convencer	to convince
influenciar	to influence
(des)aprovar	to (dis)approve
concordar (com)	to agree (with)
contradizer	to contradict

contestar	to contest
objectar	to object
refutar	to refute
exagerar	to exaggerate
acentuar [BP enfatizar]	to emphasize
prever	to predict, to foresee
confirmar	to confirm
pedir desculpa	to apologize
fingir	to pretend
enganar	to deceive
desapontar	to disappoint
lisonjear	to flatter
criticar	to criticize
caluniar	to slander
negar	to deny
admitir	to admit
confessar	to confess
reconhecer	to recognize
explicar	to explain
gesticular	to gesticulate
duvidar	to doubt
fofocar	to gossip
convencido	convinced
convincente	convincing
a conversa	conversation
a discussão	discussion
o diálogo	dialogue
a entrevista	interview
o monólogo	monologue
o discurso	speech
a conferência	lecture
o debate	debate
o congresso	conference
a declaração	statement
a palavra	word
o mexerico, o bisbilhotice	gossip
[BP a fofoca]	
a opinião	opinion
a ideia	idea
o ponto de vista	point of view

o argumento	argument, quarrel
o tema	subject, topic
o mal-entendido	misunderstanding
o acordo	agreement
o desacordo	disagreement
a alusão	allusion
a insinuação	insinuation
a crítica	criticism
a objecção	objection
a confissão	confession
o microfone	microphone
o megafone	megaphone
francamente	frankly
geralmente	generally
naturalmente, certamente	naturally, of course
absolutamente	absolutely
realmente	really
talvez	maybe, perhaps
sem dúvida	undoubtedly
mas	but
contudo	however
ou	or
e	and
porque	because
portanto, daí	therefore
graças a	thanks to
apesar de	despite
salvo, excepto	except
sem	without
com	with
quase	almost
se	if

See also sections **32 TOPICAL ISSUES** *and* **36 THE PHONE.**

35. A CORRESPONDÊNCIA
LETTER WRITING

escrever	to write
escrevinhar	to scribble
anotar	to jot down
descrever	to describe
dactilografar	to type
assinar	to sign
enviar	to send, to post
chegar	to arrive
entregar	to deliver
selar	to seal
pôr um selo em	to put a stamp on
franquear	to frank
pesar	to weigh
pôr no correio	to post
devolver	to send back
fazer seguir	to forward
conter	to contain
corresponder-se com	to correspond with
receber	to receive
responder	to reply
legível	legible
ilegível	illegible
escrito à mão	handwritten
dactilografado	typed
por avião	by airmail
por expresso, por correio azul	by express post
registado	by registered mail
por volta do correio	by return mail
a carta	letter
o correio electrónico, o e-mail	e-mail
o fax	fax

o correio, a correspondência	mail
o papel de carta	writing paper
a data	date
a assinatura	signature
o sobrescrito, o envelope	envelope
o endereço	address
o destinatário	addressee
o remetente	sender
o código postal [BP o CEP]	postcode
o selo	stamp
a caixa de correio	postbox
a recolha	collection
a estação de correios	post office
o balcão, o guichet	counter
a tarifa postal	postage
o carimbo de correio	postmark
a posta restante	poste restante
a encomenda, o pacote	parcel
o telegrama	telegram, telemessage
o (bilhete) postal	postcard
o aviso de recepção	acknowledgement of receipt
o formulário	form
o vale postal	postal order
o conteúdo	contents
o carteiro	postman
o correspondente	penfriend
a caligrafia	handwriting
o rascunho	draft (copy)
a cópia a limpo	fair copy
a esferográfica	pen
o lápis	pencil
a caneta (de tinta permanente)	fountain pen
a máquina de escrever	typewriter
o processador de texto	word processor
o computador	computer
a nota	note
o cabeçalho	letterhead
o texto	text

a página	page
o parágrafo	paragraph
a frase	sentence
a linha	line
a palavra	word
o estilo	style
o título	title
a margem	margin

o cartão (de aniversário)	(birthday) card
os pêsames	condolences
o aviso	announcement card (*for weddings etc*)

a carta de amor	love letter
a reclamação	complaint

Exmo. Sr./Sra.
Dear Sir/Madam

Caro Paulo/Cara Carolina
Dear Paulo/Carolina

Exmos. Srs. Pereira
Messrs Pereira

Junto envio...
Please find enclosed …

Cordiais saudações/Atenciosamente
Yours faithfully/sincerely

Os meus melhores cumprimentos
Kind regards

Com toda a amizade/beijos/um abraço
love

queria três selos de um euro
I'd like three 1-euro stamps

See also section **37 COMPUTERS AND THE INTERNET.**

36. O TELEFONE
THE TELEPHONE

chamar, ligar	to call
telefonar a	to telephone, to ring
fazer um telefonema/uma chamada	to make a phone call
ligar para alguém	to give somebody a ring
levantar o auscultador	to lift the receiver
marcar o número	to dial the number
marcar o número errado	to dial a wrong number
desligar	to hang up
voltar a telefonar	to call back
responder	to answer
cortar	to cut somebody off
tocar	to ring
o telefone	phone
o receptor	earpiece
o gravador	answering machine
o atendedor de chamadas	voicemail
o cartão telefónico	phone card
o sinal de marcação	dialling tone
a lista telefónica	phone book
as Páginas Amarelas	Yellow Pages®
a cabine telefónica	phone box
o telefonema, a chamada	phone call
a chamada de longa distância	long-distance call
a chamada local	local call
o indicativo	dialling code
o número	number
a linha	line
o número errado	wrong number
as informações	directory enquiries
o/a telefonista	telephone exchange operator
o telemóvel [BP o celular]	mobile phone
a mensagem de texto, a SMS	text message

ocupado, a falar   engaged
avariado   out of order

telefonei à minha mãe
I phoned my mother

o telefone está a tocar
the phone's ringing

quem fala?
who's speaking?

fala a Gabriela
it's Gabriela speaking

está lá, fala o Pedro
hello, this is Peter speaking

gostaria de falar com o João
I'd like to speak to John

o/a próprio/a
speaking

não desligue
hold on

está ocupado/a falar
it's engaged

lamento ele/ela não está
I'm sorry, he's/she's not in

quer deixar mensagem?
would you like to leave a message?

o meu número é dois três zero quatro cinco dois
my number is 230452

desculpe, enganei-me no número
sorry, I've got the wrong number

See also section **37 COMPUTERS AND THE INTERNET.**

37. OS COMPUTADORES E A INTERNET
COMPUTERS AND THE INTERNET

guardar	to save
clicar	to click
imprimir	to print
descarregar	to download
navegar	to browse, to surf
enviar/mandar um e-mail a	to e-mail (*person*)
enviar por correio electrónico	to e-mail (*document*)
zipar	to zip
unzipar	to unzip
o computador	computer
o portátil	laptop (computer)
o ecrã	screen
o monitor	monitor
o programa	program
o rato	mouse
o tapete de rato	mouse mat
o teclado	keyboard
o drive de disquetes	disk drive
o ficheiro	file
o disco	disk
o disco rígido	hard disk
o disquete	floppy disk
o hardware	hardware
o software	software
a impressora	printer
o modem	modem
o correio electrónico	e-mail
o endereço electrónico	e-mail address
arroba	at-sign
a Internet	Internet
a (World Wide) Web	Web
o internauta	Internet user
o site	website
a câmara Web	Web cam

a página na Web	Web page
o administrador de Web	Webmaster
o hiperlink	hyperlink
a ciber-revista	webzine
o chefe de correios	postmaster
o URL	URL
a página (principal/de começo)	home page
o motor	search engine
o marcador	bookmark
a visita	hit
o hóspede	host
a netiqueta	netiquette
em linha	online

38. OS CUMPRIMENTOS E AS EXPRESSÕES DE CORTESIA
GREETINGS AND POLITE PHRASES

cumprimentar	to greet
apresentar	to introduce
exprimir	to express
agradecer	to thank
desejar	to wish
pedir desculpa	to apologize
bom dia	good morning
boa tarde	good afternoon/evening
boa noite	good night
olá!	hello!
viva!	hi!
adeus!	goodbye!
prazer (em conhecê-lo)	pleased to meet you
como está?	how are you?
como vai? [BP tudo bem?]	how are things?
até breve	see you soon
até logo	see you later
até já	see you in a minute
até amanhã	see you tomorrow
passe/tenha um bom dia!	have a good day!
passe uma boa tarde!	have a good afternoon!
proveito!/bom apetite!	enjoy your meal!
boa sorte!	good luck!
boa viagem!	safe journey!, have a good trip!
bem-vindo!	welcome!
desculpe!, perdão!	sorry!
como?	sorry?
lamento	I'm sorry
cuidado!	watch out!
sim	yes

não	no
não obrigado	no thanks
(sim) se faz favor	yes please
por favor	please
obrigado	thank you
obrigadinho	thanks very much
muito obrigado	thank you very much
de nada, não tem de quê	not at all
saúde!	cheers!
santinho!	bless you!
está bem, de acordo	OK
tanto melhor	so much the better
tanto pior	too bad
deixe lá!, não é nada!, não se incomode!	never mind!
que pena!	what a pity!

as festas — festivities

Feliz Natal!	Merry Christmas!
Bom Ano Novo!	Happy New Year!
felicidades!	best wishes!
Boa Páscoa!	Happy Easter!
feliz aniversário!	happy birthday!
parabéns!	congratulations!

posso apresentar a Amélia da Silva?
may I introduce Amélia da Silva?

aceite os meus melhores votos
please accept my best wishes

aceite as minhas condolências
please accept my condolences

desejo-lhe um feliz aniversário
may I wish you a happy birthday

não me importa
I don't mind

disponha sempre, é um prazer
it's a pleasure!

lamento imenso, sinto muito
I'm (terribly) sorry!

como?
I beg your pardon?

desculpe o incómodo
I'm sorry to bother you

importa-se que eu fume?
do you mind if I smoke?

desculpe, pode informar-me...?
excuse me, could you tell me ...?

que pena!
what a pity!

parabéns!
well done!

39. AS FÉRIAS E AS FORMALIDADES ALFANDEGÁRIAS
PLANNING A HOLIDAY AND CUSTOMS FORMALITIES

reservar	to book, to reserve
viajar	to travel
ir viajar, fazer uma viagem	to go on a journey
alugar	to rent (*car, equipment*)
alugar, arrendar	to rent (*house*)
confirmar	to confirm
cancelar, anular	to cancel
informar-se (sobre)	to get information (about)
recolher informação (sobre)	to gather information (about)
fazer as malas	to pack (one's suitcases)
fazer uma lista	to make out a list
levar	to take
carregar (com)	to carry, to take
esquecer-se de	to forget
fazer um seguro	to take out insurance
renovar o passaporte	to renew one's passport
vacinar-se	to get vaccinated
revistar	to search
declarar	to declare
contrabandear	to smuggle
controlar	to check
as férias	holidays
a agência de viagens	travel agent's
o centro de informação turística, o Turismo	tourist information centre
a brochura	brochure
o folheto, o desdobrável	leaflet
a viagem organizada	package tour
o/a guia de turismo	courier

o/a guia	guide
o itinerário, o programa	itinerary
o cruzeiro	cruise
a reserva	booking
o depósito, o sinal	deposit
a lista	list
a bagagem	luggage
a mala	suitcase
o saco de viagem	travel bag
a mochila	rucksack
a etiqueta	label
a bolsa de maquilhagem [BP maquilagem]	vanity case
o passaporte	passport
o bilhete de identidade	identity card
o visto	visa
o bilhete	ticket
o cheque de viagem	traveller's cheque
o seguro de viagem	travel insurance
a alfândega	customs
o aduaneiro	customs officer
a fronteira	border
antecipadamente	in advance

nada a declarar
nothing to declare

devemos confirmar a reserva por escrito?
should we confirm our booking in writing?

estou ansioso por ir de férias
I'm looking forward to going on holiday

See also sections **40 RAILWAYS, 41 FLYING, 42 PUBLIC TRANSPORT** *and* **43 AT THE HOTEL.**

40. OS CAMINHOS-DE-FERRO
RAILWAYS

reservar	to reserve, to book
apanhar um comboio [BP pegar um trem]	to catch a train
perder um comboio [BP trem]	to miss a train
mudar	to change
sair, descer	to get off
entrar, subir	to get on/in
estar atrasado	to be late
descarrilar	to be derailed
à hora	on time
atrasado	late
reservado	reserved
ocupado	taken, engaged
livre	free
fumador	smoking, smoker
não-fumador	non-smoker, non-smoking

a estação — the station

a estação (de caminhos de ferro)	(railway) station
a CP (caminhos-de-ferro portugueses)	Portuguese railway company
os caminhos-de-ferro	railways
a bilheteira [BP a bilheteria]	ticket office
a máquina de venda de bilhetes	ticket vending machine
as informações	information
o painel de informações	indicator board
a sala de espera	waiting room
o bar da estação	station buffet
o depósito de bagagem	left luggage (office)
o carrinho (de malas)	(luggage) trolley
a bagagem	luggage
os perdidos e achados	lost property office
o chefe da estação	stationmaster

o chefe do comboio [BP trem]	guard
o revisor	ticket collector
o ferroviário	railwayman
o passageiro	passenger
o porteiro	porter

o comboio [BP o trem]   the train

o comboio urbano	local train
o comboio de mercadorias	freight train
o comboio directo	through train
o expresso	express train, fast train
a Intercidade	Intercity train
o comboio eléctrico	electric train
o ALFA (pendular)	ALFA express train

a locomotiva	locomotive, engine
a locomotiva a vapor	steam engine
a carruagem/o vagão restaurante	dining car
a carruagem, o vagão	coach, carriage
a carruagem-cama	sleeper
a parte da frente do comboio	front of the train
a parte de trás do comboio	rear of the train
o furgão	luggage van
o compartimento	compartment
o beliche	couchette
a casa de banho [BP o banheiro]	toilet
a porta	door
a janela	window
o lugar, o assento	seat
o porta-bagagens	luggage rack
o alarme	alarm

o trajecto   the journey

o cais, a plataforma	platform
a linha	track, platform, line
os carris [BP os trilhos]	tracks
a rede	(railway) network
a passagem de nível	level crossing
o túnel	tunnel
o túnel do Canal da Mancha	Channel Tunnel
a paragem	stop

a chegada	arrival
a partida	departure
a ligação, a correspondência	connection

os bilhetes — tickets

o bilhete	ticket
a tarifa reduzida	reduced rate
o adulto	adult
a ida (simples)	single (ticket)
a ida e volta	return (ticket)
a classe	class
a primeira (classe)	first class
a segunda (classe)	second class
o cartão (de caminhos-de-ferro)	railcard
o cartão da terceira idade	pensioner's card
a reserva	reservation
o horário	(railway) timetable
os feriados	public holidays
os dias da semana	weekdays

fui para Vila Real de comboio
I went to Vila Real by train

um bilhete de ida para Sintra, se faz favor
a single to Sintra, please

um bilhete de ida e volta para Lagos, se faz favor
a return ticket to Lagos, please

a que horas parte o próximo/último comboio para Faro?
when is the next/last train for Faro?

o comboio procedente do Porto tem um atraso de vinte minutos
the train from Porto is twenty minutes late

o comboio procedente de Viana vai entrar na linha número onze
the train from Viana is arriving at platform 11

tenho de mudar (de comboio)?
do I have to change?

este comboio pára em Tunes?
does this train stop at Tunes?

desculpe, este lugar está livre/ocupado?
excuse me, is this seat free/taken?

com licença
excuse me (may I get by?)

o seu bilhete, se faz favor
tickets, please!

estive quase a perder o comboio
I nearly missed my train

temos de nos apressar para apanhar a ligação
we'll have to run to make our connection

ele/ela veio buscar-me à estação
he/she came and picked me up at the station

ele/ela levou-me à estação
he/she took me to the station

boa viagem!
have a good journey!

41. OS TRANSPORTES AÉREOS
FLYING

viajar de avião	to fly
registar a bagagem, fazer o check-in	to check in
descolar	to take off
aterrar [BP aterrissar]	to land
fazer escala	to make a stopover

no aeroporto — at the airport

o aeroporto	airport
a pista	runway
a companhia aérea	airline
as informações	information
o registo de bagagens, o check-in	check-in
a bagagem de mão	hand luggage
a loja franca, o duty-free	duty-free shop
o embarque	boarding
a sala de embarque	departure lounge
o cartão de embarque	boarding pass
a porta	gate
a recolha de bagagem	baggage reclaim
o terminal aéreo	air terminal
as escadas rolantes	escalator
o carrossel	carousel

a bordo — on board

o avião	plane
o jacto	jet, plane
o jumbo	jumbo jet
o voo/avião charter	charter flight/plane
a asa	wing
a hélice	propeller
o corredor	aisle
a janela	window
o cinto de segurança	seat belt

a saída de emergência	emergency exit
o lugar	seat
o voo [BP o vôo]	flight
o voo doméstico/interno	domestic flight
o voo internacional	international flight
a altitude	altitude
a velocidade	speed
a partida	departure
a descolagem	take-off
a chegada	arrival
a aterragem [BP a aterrissagem]	landing
a aterragem de emergência	emergency landing
a escala	stopover
o atraso	delay
a tripulação	crew
o piloto	pilot
a hospedeira [BP a aeromoça]	stewardess
o comissário de bordo	steward
o passageiro	passenger
o pirata do ar	hijacker
cancelado	cancelled
atrasado	delayed

embarque imediato na porta número 17
now boarding at gate number 17

apertar o cinto de segurança
fasten your seat belt

não fumar
no smoking

42. OS TRANSPORTES PÚBLICOS
PUBLIC TRANSPORT

sair, descer	to get off
entrar, subir	to get on
esperar, estar à espera de	to wait (for)
chegar	to arrive
mudar	to change
parar	to stop
apressar-se	to hurry
perder	to miss
viajar sem bilhete	to dodge the fare
mostrar o bilhete	to produce one's ticket
o autocarro [BP o ônibus]	bus
o carro eléctrico [BP o bonde]	tram
a camioneta	coach
o metro	underground, tube
o comboio [BP o trem] suburbano/regional	local train
o barco de travessia	ferry
o táxi	taxi
o condutor	driver
o motorista de táxi, o taxista	taxi driver
o motorista de carro eléctrico	tram driver
o revisor	inspector (*train*), conductor (*bus*)
o/a viajante habitual	commuter
a estação de autocarros [BP a rodoviaria]	bus station
a estação de metro	underground station
a paragem de autocarro [BP ônibus]	bus stop
o terminal	terminus
a bilheteira [BP a bilheteria]	booking office
a máquina de venda de bilhetes	ticket machine

a sala de espera	waiting room
as informações	enquiries
a saída	exit
a rede	network
a linha	line
o cais, a plataforma	platform
a partida	departure
a direcção	direction
o destino	destination
a chegada	arrival
o lugar	seat
o bilhete	ticket
o preço do bilhete	fare
a caderneta de bilhetes	book of tickets
o passe	season ticket
o adulto	adult
a criança	child
a primeira classe	first class
a segunda classe	second class
o desconto, a redução	reduction
o suplemento	excess fare
a hora de ponta	rush hour

vou para a escola de autocarro
I go to school by bus

que autocarro posso apanhar para a catedral?
what bus will take me to the cathedral?

onde fica a estação de metro mais próxima?
where is the nearest underground station?

pode avisar-me quando devo sair?
will you tell me when to get off?

See also section **40 RAILWAYS.**

43. NO HOTEL
AT THE HOTEL

completo, sem vagas	no vacancies
fechado	closed
incluído	included
o hotel	hotel
o motel	motel
a pensão	guesthouse
a residência	guesthouse
o solar	country house
a pousada	state-run luxury hotel
a reserva	booking
a recepção	reception
a pensão completa	full board
a meia pensão	half board
a alta/baixa estação	high/low season
o serviço	service
a gorjeta	tip
a conta	bill
a reclamação	complaint
o restaurante	restaurant
a sala de jantar	dining room
o salão, a sala de estar	lounge
a entrada	entrance hall, lobby
o bar	bar
o parque de estacionamento	car park
o elevador, o ascensor	lift
o pequeno-almoço [BP o café da manhã]	breakfast
o almoço	lunch
o jantar	dinner
o gerente	manager
o/a recepcionista	receptionist

o porteiro	porter
a empregada de quarto	chambermaid

o quarto — the room

o quarto	room
o quarto individual	single room
o quarto de casal	double room
o quarto duplo	twin room
a cama	bed
a cama individual	single bed
a cama de casal	double bed
a cama de criança	cot
o berço	cot, cradle
a casa de banho [BP o banheiro]	bathroom, toilet
o chuveiro	shower
o lavatório	washbasin
a água quente	hot water
o ar condicionamento	air conditioning
a saída de emergência	emergency exit
a escada de emergência	fire escape
a varanda	balcony
a vista	view
a chave	key

um hotel de duas/três estrelas
a two-/three-star hotel

tem vagas?
have you got any vacancies?

queria um quarto individual/duplo
I'd like a single/twin room

um quarto com casa de banho privativa
a room with a private bathroom

um quarto com vista para o mar
a room with a sea view

para quantas noites?
for how many nights?

estamos cheios, não temos vagas
we're full

será possível acordar-me às sete horas?
could you give me a wake-up call at seven?

há serviço de lavandaria?
is there a laundry service?

pode preparar a minha conta, se faz favor?
could you make up my bill, please?

não incomodar
do not disturb

44. O CAMPISMO, CARAVANISMO E AS POUSADAS DE JUVENTUDE
CAMPSITES AND YOUTH HOSTELS

acampar	to go camping, to camp
fazer campismo	to go camping
fazer campismo selvagem	to camp in the wild
fazer caravanismo	to go caravanning
andar à boleia [BP carona]	to hitch-hike
montar a tenda	to pitch the tent
desmontar a tenda	to take down the tent
dormir ao relento	to sleep out in the open
o acampamento	camping, campsite
o campismo	camping
o parque de campismo	campsite
o campista	camper
o equipamento para campismo	camping equipment
a tenda	tent
a cama de campismo	camp bed
a mesa/cadeira dobrável	folding table/chair
o colchão de ar	air mattress
o tecto duplo	fly sheet
a estaca	peg
a corda	rope
a fogueira	fire
a fogueira de acampamento	campfire
os fósforos	matches
o Camping Gaz	butane gas
a garrafa de gás	gas bottle
o fogão de gás	gas stove
a recarga	refill
a marmita	billy can
a garrafa de água	water bottle
o martelo	hammer
o canivete	penknife
o balde	bucket

o saco-cama	sleeping bag
a lanterna	torch
a bússola	compass
os sanitários	toilet block
os chuveiros	showers
a casa de banho [BP o banheiro]	toilets
a água potável	drinking water
o contentor de lixo	rubbish bin
o mosquito, a melga	mosquito
o parque para caravanas	caravan site
a caravana, o roulotte	caravan
o carro-cama	camper van
o atrelado	trailer
a pousada de juventude	youth hostel
o dormitório, a camarata	dormitory
a sala de jogos	games room
o cartão de membro	membership card
a mochila	rucksack
a boleia [BP a carona]	hitch-hiking

podemos acampar aqui?
may we camp here?

passámos o dia ao ar livre
we spent the day in the open air

é proibido acampar
no camping

45. NA PRAIA
AT THE SEASIDE

nadar	to swim
flutuar, boiar	to float
esparrinhar	to splash about
mergulhar	to dive
afogar-se	to drown
bronzear-se	to get a tan
apanhar/tomar sol	to sunbathe
ficar queimado	to get sunburnt
escamar	to peel
salpicar	to splash
enjoar	to be seasick
remar	to row
afundar	to sink
virar (barco), adernar	to capsize
embarcar	to go on board, to embark
desembarcar	to disembark
lançar a âncora	to drop anchor
levantar a âncora	to weigh anchor
sombreado	shady (*place*)
cheio de sol	sunny (*place*)
bronzeado	tanned
à sombra	in the shade
ao sol	in the sun
a bordo	on board
ao largo de	off the coast of
o mar	sea
o lago	lake
a praia	beach
a margem	shore
a beira	lakeside, river bank
a piscina	swimming pool
a prancha de saltos	diving board
a piscina para crianças	paddling pool

a cabana, a barraca	beach hut
a areia	sand
o cascalho	shingle
a rocha	rock
a falésia	cliff
o sal	salt
a onda, a vaga	wave
a onda grande	breaker, big wave
a maré alta/baixa	high/low tide
a corrente	current
o remoinho	whirlpool
a costa	coast
o porto	harbour
o cais, o quebra-mar, o embarcadouro	quay, pier, jetty
o cais de desembarque	landing pier, jetty
a esplanada	esplanade, promenade
o fundo do mar	sea bed
o farol	lighthouse
o horizonte	horizon
o salva-vidas	lifeguard
o professor de natação	swimming instructor
o capitão	captain
o banhista	bather
o nadador	swimmer
a concha	shell
o peixe	fish
o caranguejo	crab
o tubarão	shark
o golfinho	dolphin
a gaivota	seagull

os barcos · boats

o barco, o navio	ship
o barco (a motor)	(motor)boat
o barco a remos/à vela	rowing/sailing boat
a lancha	speedboat
o veleiro	sailing ship
o iate	yacht, cabin cruiser

o transatlântico	liner
o ferry (boat)	ferry
o bote (de borracha)	(rubber) dinghy
o barco insuflável	inflatable dinghy
a gaivota, o barco a pedais	pedalo
o remo	oar
a vela	sail
a âncora	anchor

os utensílios da praia — things for the beach

o fato de banho [BP o maiô]	swimsuit
os calções [BP o calção] de banho	swimming trunks
o biquíni	bikini
a touca de banho	bathing cap
a máscara de mergulho	mask
o tubo de respiração	snorkel
as barbatanas	flippers
a bóia	rubber ring
a bóia flutuante	buoy
o colchão pneumático	air mattress, Lilo®
o guarda-sol, a barraca	beach umbrella
a espreguiçadeira	deckchair
a toalha de praia	beach towel
os óculos de sol	sunglasses
o óleo solar	suntan oil
o leite solar	suntan lotion
a queimadura de sol	sunburn
a pá	spade
o balde	bucket
o castelo de areia	sandcastle
o Frisbee®, o disco voador	Frisbee®
a bola	ball

não sei nadar
I can't swim (= don't know how to)

é proibido tomar banho
no bathing

46. OS TERMOS GEOGRÁFICOS
GEOGRAPHICAL TERMS

o mapa	map
o atlas	atlas
o continente	continent
o país	country
o país em vias de desenvolvimento	developing country
a área, a região	area
o bairro, a divisão administrativa	district
a cidade	city, town
a vila	town
a aldeia	village
a capital	capital city
a montanha	mountain
a serra, a cadeia montanhosa	mountain range
a colina, o monte	hill
a falésia	cliff
o cume, o pico	summit, peak
o desfiladeiro	pass
o planalto	plateau
o glaciar	glacier
o vulcão	volcano
o mar	sea
o oceano	ocean
o lago	lake
a lagoa	pool, pond, lagoon
o pântano	marsh, swamp
o rio	river
o ribeiro	stream
a torrente	torrent
o canal	canal, channel
a nascente	spring
a costa	coast
a ilha	island

a península	peninsula
o promontório	promontory
a baía	bay
o golfo	gulf
o estuário	estuary
o delta	delta
o deserto	desert
a floresta	forest
o bosque	wood
a latitude	latitude
a longitude	longitude
a altitude	altitude
a profundidade	depth
a superfície, a área	area
a população	population
o mundo	world
o universo	universe
os Trópicos	tropics
o Pólo Norte	North Pole
o Pólo Sul	South Pole
o Equador	Equator
o planeta	planet
o sistema solar	solar system
a terra	earth
o sol	sun
a lua	moon
a estrela	star
a constelação	constellation
a Via Láctea	Milky Way

qual é a montanha mais alta da Europa?
what is the highest mountain in Europe?

See also sections **27 NATURE, 47 COUNTRIES** *and* **48 NATIONAL-ITIES.**

47. OS PAÍSES, CONTINENTES ETC.
COUNTRIES, CONTINENTS ETC

os Açores	the Azores
a Albânia	Albania
a Alemanha	Germany
Angola	Angola
a Arábia Saudita	Saudi Arabia
a Argélia	Algeria
a Argentina	Argentina
a Austrália	Australia
a Áustria	Austria
a Bélgica	Belgium
a Bósnia	Bosnia
o Brasil	Brazil
a Bulgária	Bulgaria
o Cabo Verde	Cape Verde
o Canadá	Canada
o Chile	Chile
a China	China
a Cidade Vaticana	Vatican City
a Croácia	Croatia
a Dinamarca	Denmark
o Egipto	Egypt
a Escócia	Scotland
a Eslováquia	Slovakia
a Espanha	Spain
os Estados Unidos	United States
a Estónia	Estonia
os EUA	USA
a Finlândia	Finland
a França	France
o Japão	Japan
a Grã Bretanha	Great Britain
a Grécia	Greece
a Groenlândia	Greenland
a Guiné Bissau	Guiné Bissau
a Holanda	Holland

a Hungria	Hungary
a Índia	India
a Inglaterra	England
a Irlanda do Norte	Northern Ireland
a Islândia	Iceland
a Israel	Israel
a Itália	Italy
a Iugoslávia	Yugoslavia
a Letónia	Latvia
a Líbia	Libya
a Lituânia	Lithuania
o Luxemburgo	Luxembourg
a Madeira	Madeira
o Marrocos	Morocco
o México	Mexico
Moçambique	Mozambique
a Noruega	Norway
a Nova Zelândia	New Zealand
o País de Gales	Wales
os Países Baixos	Netherlands
a Palestina	Palestine
o Paquistão	Pakistan
a Polónia	Poland
Portugal	Portugal
o Reino Unido	United Kingdom
a República da África do Sul	Republic of South Africa
a República da Irlanda	Eire
a República Tcheca	Czech Republic
a Romênia	Romania
a Rússia	Russia
São Tomé e Príncipe	São Tomé and Príncipe
a Suécia	Sweden
a Suíça	Switzerland
a Tunísia	Tunisia
a Turquia	Turkey

os continentes   continents

a África	Africa
a América	America
a América do Norte	North America
a América do Sul	South America

a Ásia	Asia
a Europa	Europe
a Oceânia	Australasia

as cidades

cities

Dublim	Dublin
Edimburgo	Edinburgh
Lisboa	Lisbon
Londres	London
o Porto	Oporto
o Rio (de Janeiro)	Rio (de Janeiro)

as regiões

regions

o Terceiro Mundo	Third World
os países de Leste	Eastern Bloc countries
o Médio Oriente	Middle East
o Extremo Oriente	Far East
Trás-os-Montes	Trás-os-Montes
o Minho	the Minho
o Douro	the Douro
a Beira Alta	Beira Alta (Upper)
a Beira Baixa	Beira Baixa (Lower)
a Beira Litoral	Beira Litoral (Coastal)
a Estremadura	Estremadura
o Ribatejo	the Ribatejo
o Alentejo	the Alentejo
o Algarve	the Algarve

os mares, rios, as ilhas e montanhas

seas, rivers, islands and mountains

o Mediterrâneo	Mediterranean (Sea)
o Mar do Norte	North Sea
o Atlântico	Atlantic Ocean
o Pacífico	Pacific Ocean
o Índico	Indian Ocean
o Canal da Mancha	English Channel
o Tamisa	Thames
o Tejo	Tagus
o Douro	Douro
o Guadiana	Guadiana

os **Alpes**	Alps
os **Apeninos**	Apennines
os **Pirenéus**	Pyrenees
a **Serra da Estrela**	Serra da Estrela

passei as férias em Portugal
I spent my holidays in Portugal

a Holanda é um país plano
Holland is a flat country

gostaria de ir à China
I would like to go to China

vivo em Dover, na Inglaterra
I live in Dover, in England

são de Lisboa
they come from Lisbon

See also section **48 NATIONALITIES.**

48. AS NACIONALIDADES
NATIONALITIES

os países	countries
estrangeiro	foreign
albanês	Albanian
alemão	German
americano	American
argelino	Algerian
argentino	Argentinian
australiano	Australian
austríaco	Austrian
belga	Belgian
bosníaco	Bosnian
brasileiro	Brazilian
britânico	British
búlgaro	Bulgarian
canadiano [BP canadense]	Canadian
chileno	Chilean
chinês	Chinese
croato	Croatian
dinamarquês	Danish
egípcio	Egyptian
escandinavo	Scandinavian
escocês	Scottish
eslovako	Slovak, Slovakian
esloveno	Slovenian
espanhol	Spanish
estoniano	Estonian
finlandês	Finish
flamengo	Flemish
francês	French
galês	Welsh
grego	Greek
holandês	Dutch
húngaro	Hungarian
indiano	Indian

inglês	English
irlandês	Irish
islandês	Icelandic
israelita	Israeli
italiano	Italian
japonês	Japanese
letão	Latvian
líbio	Libyan
lituano	Lithuanian
luxemburguês	from Luxembourg
marroquino	Moroccan
mexicano	Mexican
neozelandês	from new Zealand
norueguês	Norwegian
palestiniano	Palestinian
paquistanês	Pakistani
polaco	Polish
português	Portuguese
romeno	Romanian
russo	Russian
sueco	Swedish
suíço	Swiss
sulafricano	South African
tunisino	Tunisian
turco	Turkish

as áreas e as cidades — areas and cities

oriental	Oriental
ocidental	Western
africano	African
asiático	Asian
europeu	European
árabe	Arabic
lisboeta	from Lisbon
alfacinha	from Lisbon (*colloquial*)
londrino	Londoner
parisiense	Parisian
portuense	from Oporto
tripeiro	from Oporto (*colloquial*)
paulista	from São Paulo

carioca	from Rio de Janeiro
um habitante de Manchester	Mancunian
um inglês	Englishman
uma inglesa	Englishwoman

os portugueses bebem muito vinho
the Portuguese drink a lot of wine

gosto da comida chinesa
I like Chinese food

49. AS LÍNGUAS
LANGUAGES

aprender	to learn
decorar	to learn by heart
compreender	to understand
escrever	to write
ler	to read
falar	to speak
repetir	to repeat
pronunciar	to pronounce
traduzir	to translate
aperfeiçoar	to improve
significar, querer dizer	to mean
o francês	French
o inglês	English
o alemão	German
o espanhol	Spanish
o português	Portuguese
o italiano	Italian
o grego moderno	modern Greek
o grego antigo/clássico	classical Greek
o latim	Latin
o russo	Russian
o árabe	Arabic
o chinês	Chinese
o japonês	Japanese
o gaélico	Gaelic
a língua, o idioma	language
o dialecto	dialect
a língua materna	mother tongue
a língua estrangeira	foreign language
as línguas vivas/modernas	modern languages
as línguas mortas	dead languages
o vocabulário	vocabulary

a gramática	grammar
o sotaque	accent

não compreendo
I don't understand

estou a aprender inglês
I am learning English

ele/ela fala português fluentemente
he/she speaks fluent Portuguese

ele/ela fala muito mal inglês
he/she speaks English very badly

a sua língua materna é o inglês
English is his/her native language

traduzir para/de inglês
translate into/from English

não se importa de falar mais devagar/menos rápido?
could you speak more slowly/less quickly, please?

não se importa de repetir?
could you repeat that, please?

o Sérgio tem jeito para línguas
Sérgio is good at languages

See also section **48 NATIONALITIES.**

50. FÉRIAS EM PORTUGAL
HOLIDAYS IN PORTUGAL

visitar	to visit
viajar	to travel
interessar-se por, estar interessado em	to be interested in
admirar	to admire
em férias	on holiday
famoso	famous
pitoresco	picturesque

o turismo   tourism

as férias	holidays
o/a turista	tourist
o estrangeiro	foreigner
o posto de turismo	tourist office
as atracções	attractions
o prato típico	traditional dish
o traje tradicional	traditional costume
os locais de interesse	places of interest
a feira	fair
a exposição	exhibition, show
as especialidades	specialities
o artesanato	crafts
o guia	guide, guidebook
o guia de conversação	phrase book
o mapa	map
a visita guiada	guided tour
a viagem, a visita	journey, trip
o percurso	route
o itinerário	itinerary
a visita de estudo	school trip
as férias organizadas	package holiday
a excursão	excursion

a excursão de autocarro [BP ônibus]	coach trip
o grupo	group
a cúpola	dome, cupola
a aldeia medieval	medieval village
o bairro antigo	the old town
as escavações	excavations
a obra de arte	work of art
a obra-prima	masterpiece
o museu	museum
a embaixada	embassy
o consulado	consulate
a hospitalidade	hospitality

os símbolos de Portugal — symbols of Portugal

o galo de Barcelos	Barcelos cockerel, national symbol
o vinho do Porto	port wine
a ponte 25 de abril	25 April bridge, Lisbon
o castelo de São Jorge	St George castle, Lisbon
o rio Douro	river Douro
a caravela	ship of the Discoveries
o mosteiro dos Jerónimos	Hironymite monastery, Lisbon
a revolução dos cravos	Carnation Revolution, 1974
as sardinhas assadas	grilled sardines
o vinho verde	'green' wine
a Amália	legendary Fado singer
o Fado	Fado music
a guitarra portuguesa	Portuguese guitar
os Lusíadas	national epic poem
as praias algarvias	Algarve beaches
a bandeira portuguesa	Portuguese flag
o hino nacional	national anthem

os costumes — customs

o modo de vida	way of life
a cultura	culture
o bar	bar
o café, a pastelaria	café, coffee shop

a moda	fashion
o dialecto	dialect
o carnaval	carnival
o dia de Camões	10 June, national day
as festas dos santos populares	Saints' festivals

não se esqueça de levar um mapa de Braga
don't forget to take a map of Braga

See also sections **25 THE CITY, 26 CARS, 39 PLANNING A HOLI-DAY, 40 RAILWAYS, 41 FLYING, 42 PUBLIC TRANSPORT, 43 AT THE HOTEL, 44 CAMPSITES AND YOUTH HOSTELS, 45 AT THE SEASIDE, 46 GEOGRAPHICAL TERMS** *and* **65 DIRECTIONS.**

51. OS INCIDENTES
INCIDENTS

acontecer, suceder	to happen
ocorrer	to occur
ter lugar	to take place
encontrar-se	to meet
coincidir	to coincide
colidir	to collide
perder	to miss, to lose
deixar cair	to drop
derramar	to spill
derrubar	to knock over
manchar	to stain
chocar com, bater	to knock against
cair	to fall
estragar	to spoil
tropeçar	to trip
causar dano	to damage
partir, quebrar	to break
provocar	to cause
ter cuidado, prestar atenção	to be careful
estar descontraído	to be distracted
esquecer-se (de)	to forget
perder	to lose
procurar	to look for
buscar	to search
reconhecer	to recognize
encontrar, achar	to find
perder-se	to get lost
perder-se no caminho	to lose one's way
perguntar o caminho	to ask one's way
distraído	absent-minded
desajeitado	clumsy
inesperado	unexpected

acidentalmente	accidentally
por acaso	by chance
infelizmente	unfortunately
a coincidência	coincidence
a surpresa	surprise
a sorte	luck
o azar	bad luck
a desgraça	misfortune
o acaso	chance
o infortúnio	misadventure
o encontro	meeting
o choque	collision
o descuido	carelessness
a queda	fall
o dano	damage
a inadvertência	oversight
a perda	loss
a secção dos perdidos e achados	lost property office
a recompensa	reward

que coincidência!
what a coincidence!

que sorte a minha!
just my luck!

que pena!
what a pity!

cuidado!
watch out!

52. OS ACIDENTES
ACCIDENTS

conduzir, guiar, [BP dirigir], andar de carro	to drive
correr riscos inúteis	to take needless risks
não dar prioridade	not to give way
passar um sinal vermelho	to go through a red light
ignorar um sinal de STOP	to ignore a stop sign
derrapar	to skid
rodar, desgovernar-se	to spin
resvalar	to hurtle down
explodir	to burst
perder o controle de	to lose control of
capotar	to somersault
chocar com, bater	to run into
atropelar	to run down, to run over
destruir	to wreck, to smash, to destroy
demolir	to demolish
causar dano	to damage
obstruir	to block
ficar imobilizado/preso	to be trapped
estar em estado de choque	to be in a state of shock
perder a consciência/os sentidos	to lose consciousness
voltar a si, recuperar os sentidos	to regain consciousness
estar em coma	to be in a coma
ter morte imediata	to die instantly
testemunhar, presenciar	to witness
levantar um auto	to draw up a report
indemnizar	to compensate
escorregar	to slip, to slide
afogar-se	to drown
sufocar, ficar asfixiado	to suffocate
cair (de)	to fall (from)
cair pela janela	to fall out of the window

apanhar um choque eléctrico	to get an electric shock
electrocutar-se	to electrocute oneself
queimar-se	to burn oneself
escaldar-se	to scald oneself
cortar-se	to cut oneself
bêbado	drunk
ferido	injured
morto	dead
grave	serious
seguro	insured

os acidentes rodoviários — road accidents

o acidente	accident
o acidente de automóvel	car accident
o acidente rodoviário	road accident
o código da estrada	Highway Code
o choque de automóvel	car crash
o acidente múltiplo, o choque em cadeia	pile-up
a colisão	impact
a explosão	explosion
a berma	hard shoulder
o excesso de velocidade	speeding
o teste do balão	Breathalyser®, breath test
a condução em estado de embriaguez	drink driving
a fadiga	fatigue
a falta de visibilidade	poor visibility
o nevoeiro	fog
a chuva	rain
a camada de gelo na estrada	black ice
a escarpa	escarpment
o precipício	precipice
o dano	damage

outros acidentes — other accidents

o acidente de trabalho	industrial accident
o acidente de montanha	mountaineering accident
a queda	fall

o afogamento	drowning
o choque eléctrico	electric shock
o incêndio	fire

os feridos e as teste-munhas
injured persons and witnesses

o contuso	person suffering from cuts and bruises
o ferido	injured person
o ferido grave	seriously injured person
o morto	dead person
a testemunha	witness
a testemunha ocular	eye witness

o traumatismo craniano	concussion
a ferida	injury
a queimadura	burn
o sangue-frio, a calma	composure

a ajuda
help

o serviço de urgência	emergency services
a polícia	police
os bombeiros	firemen

os primeiros socorros	first aid
o caso de emergência	emergency case
a operação de emergência	emergency operation
a ambulância	ambulance
o médico	doctor
o/a enfermeiro/a	nurse
o estojo de primeiros socorros	first-aid kit
a maca	stretcher
a respiração artificial	artificial respiration
a respiração boca-a-boca	kiss of life
o oxigénio	oxygen
o garrote	tourniquet
o extintor	extinguisher
o reboque	breakdown vehicle

as consequências	the consequences
o dano, o prejuízo	damage
o auto	report
a multa	fine
a justiça	justice
a sentença	sentence
o seguro	insurance
a responsabilidade	responsibility

ele/ela foi atropelado/a por uma moto
he/she got run over by a motorbike

ele teve a sorte de escapar só com uns arranhões
he's lucky, he escaped with only a few scratches

o meu carro está pronto para a sucata
my car is a write- off

tiraram-lhe a carta de condução por um ano
he/she lost his/her licence for a year

See also sections **6 HEALTH, 26 CARS, 28 WHAT'S THE WEATHER LIKE?** *and* **53 DISASTERS.**

53. OS DESASTRES
DISASTERS

atacar	to attack
defender	to defend
desmaiar	to collapse
morrer de fome	to starve
entrar em erupção	to erupt
explodir	to explode
tremer	to shake
sufocar, asfixiar	to suffocate
queimar, arder	to burn
apagar, extinguir	to extinguish
dar o alarme	to raise the alarm
salvar	to rescue
afundar	to sink

a guerra	war
as forças armadas	the armed forces
o exército	army
a marinha	navy
a força aérea	air force
o inimigo	enemy
o aliado	ally
o campo de batalha	battlefield
o bombardeamento	bombing
a bomba	bomb
as armas nucleares	nuclear weapons
a granada	grenade
o míssil	missile
o foguete	rocket
a bala	bullet
o tanque	tank
a arma	weapon, arm
o canhão, a arma de fogo	gun
a metralhadora	machine-gun
a mina	mine

os civis	civilians
o refugiado	refugee
o soldado	soldier
o general	general
o coronel	colonel
o capitão	captain
o sargento	sergeant
a crueldade	cruelty
a tortura	torture
a morte	death
a ferida	wound
a vítima	victim
o abrigo antiaéreo	air-raid shelter
o abrigo antiatómico	nuclear shelter
a precipitação radioactiva	radioactive fallout
as tréguas	truce
o tratado	treaty
a vitória	victory
a derrota	defeat
a paz	peace

as catástrofes naturais — natural disasters

a seca	drought
a fome	famine
a subalimentação	malnutrition
a falta/escassez/carência de	lack of
a epidemia	epidemic
o tornado	tornado
o ciclone	cyclone
o furacão	hurricane, storm
o macaréu	tidal wave
a inundação	flooding
o tremor de terra	earthquake
o vulcão	volcano
a erupção vulcânica	volcanic eruption
a lava	lava
a avalancha	avalanche
o desmoronamento	landslip, landslide
a organização de beneficência	relief organization

o salvamento	rescue (operation)
o grupo de resgate	rescue team
a Cruz Vermelha	the Red Cross
o voluntário	volunteer
SOS	SOS

os incêndios | fires

o incêndio, o fogo	fire
o fumo	smoke
as chamas	flames
a explosão	explosion
os bombeiros	firemen, fire brigade
o bombeiro	fireman
o carro de bombeiros	fire engine
a escada	ladder
a mangueira	hose
a saída de emergência	emergency exit
o pânico	panic
a ambulância	ambulance
a respiração artificial	artificial respiration
o sobrevivente	survivor

socorro!
help!

fogo!
fire!

See also section **52 ACCIDENTS.**

54. OS CRIMES
CRIME

cometer uma infracção	to commit an offence
roubar	to steal, to rob
assaltar	to burgle, to rob
assassinar	to murder, to assassinate
matar	to kill
apunhalar	to stab
estrangular	to strangle
abater a tiro	to shoot
envenenar	to poison
atacar	to attack
forçar	to force
violar	to rape
exercer chantagem sobre	to blackmail
defraudar	to swindle
enganar	to con
desviar (fundos)	to embezzle
espiar	to spy
prostituir-se	to prostitute oneself
drogar(-se)	to drug (oneself)
raptar, sequestrar	to kidnap, to abduct
fazer reféns	to take hostage
incendiar	to set fire to
deter, prender	to arrest
fugir, escapar	to escape
investigar	to investigate
conduzir uma investigação	to lead an investigation
interrogar	to question, to interrogate
revistar	to search
ter ficha na polícia	to have a police record
pôr algemas	to handcuff
espancar	to beat up
cercar	to surround
isolar	to seal off

aprisionar, encarcerar	to imprison
salvar, resgatar	to rescue
defender	to defend
acusar	to accuse
julgar	to try
condenar	to sentence
declarar culpado	to convict
declarar inocente	to acquit
culpado	guilty
inocente	innocent

o crime — crime

o roubo	theft
o assalto	burglary
o assalto à mão armada	hold-up
o desvio/sequestro de avião	hijacking
o ataque	attack
o ataque à mão armada	armed attack
o assassínio, o homicídio	murder
a fraude	fraud
a chantagem	blackmail
a violação	rape
a delinquência juvenil	juvenile delinquency
a prostituição	prostitution
o tráfico de droga	drug trafficking
o contrabando	smuggling
a espionagem	spying
o vandalismo	vandalism
o submundo	underworld
o criminoso	criminal
o/a cúmplice	accomplice
o refém	hostage
o assassino, o homicida	murderer
o ladrão	thief
o assaltante	burglar
o falsificador	forger, counterfeiter
o proxeneta	pimp
o traficante de drogas	drug dealer, pusher

as armas

a pistola	pistol
a espingarda	gun, rifle
o revólver	revolver
a faca	knife
o punhal	dagger
o veneno	poison
a soqueira	knuckleduster

a polícia

o/a polícia	policeman/policewoman
o inspector	detective, inspector
o superintendente	superintendent
o esquadrão [BP a delegacia] do vício	vice squad
a brigada de repressão de fraudes	fraud squad
a esquadra [BP a delegacia], o posto de polícia	police station
o auto	report
as investigações	investigations
o inquérito	enquiry
a pista	clue
a prova, os dados	evidence

o cão polícia	police dog
o informador	informer
a matraca	truncheon
as algemas	handcuffs
o capacete	helmet
o escudo	shield
o gás lacrimogéneo	tear gas
o carro de polícia	police van

o sistema judiciário

o caso, o processo	case
o julgamento	trial
o tribunal	court
o acusado, o réu	accused
a vítima	victim
as provas	evidence

a testemunha	witness
o advogado	lawyer
o promotor público	public prosecutor
o juiz	judge
os jurados	jurors
a defesa	defence
a sentença, a pena	sentence
a absolvição	acquittal
a pena suspensa	suspended sentence
a comutação de pena	reduced sentence
a multa	fine
a liberdade condicional	probation
a reclusão	imprisonment
a prisão	prison, imprisonment
a prisão perpétua	life sentence
a pena de morte/capital	death sentence
a cadeira eléctrica	electric chair
a morte por enforcamento	hanging
o erro judiciário	miscarriage of justice

ele/ela foi condenado/a a 20 anos de prisão
he/she was sentenced to 20 years' imprisonment

a polícia está a investigar o caso
the police are investigating the case

pare, ladrão!
stop thief!

ameaçou-a com pistola
he threatened her with a gun

55. AS AVENTURAS E OS SONHOS
ADVENTURES AND DREAMS

jogar, brincar	to play
divertir-se	to have fun
imaginar	to imagine
acontecer	to happen
esconder-se	to hide
escapar-se	to escape
perseguir	to chase
descobrir	to discover
explorar	to explore
ousar	to dare
disfarçar-se (de)	to dress up (as)
fazer gazeta	to play truant
brincar às escondidas	to play hide-and-seek
desatar a correr	to take to one's heels
enfeitiçar	to bewitch
ler a sina, adivinhar o futuro	to tell fortunes
sonhar	to dream
devanear	to daydream
ter um sonho	to have a dream
ter um pesadelo	to have a nightmare

as aventuras   adventures

a aventura	adventure
o infortúnio	misadventure
o jogo	game
a viagem	journey
a fuga, a evasão	escape
o disfarce	disguise
o acontecimento	event
a descoberta	discovery
o acaso	chance

a sorte	luck
o azar	bad luck
o perigo	danger
o risco	risk
o esconderijo	hiding place
a gruta	cave
a ilha	island
o tesouro	treasure
a coragem	courage
a temeridade	recklessness
a cobardia	cowardice

os contos de fadas e lendas

fairy tales and legends

o feiticeiro	wizard
o mágico	magician
a feiticeira	sorceress
a bruxa	witch
o bruxo	sorcerer
a fada	fairy
o profeta	prophet
o/a quiromante	palmist, fortune teller
o gnomo	gnome
o diabinho	imp
o duende	goblin, elf
o anão	dwarf
o gigante	giant
o ogre	ogre
a fantasma	ghost
o esqueleto	skeleton
o vampiro	vampire
o dragão	dragon
o lobishomem	werewolf
o monstro	monster
o extraterrestre	extra-terrestrial
o mocho	owl
o gato preto	black cat
o morcego	bat
o castelo assombrado	haunted castle
o encanto, o feitiço	spell
o cemitério	cemetery

a nave espacial	spaceship
o OVNI	UFO
o universo	universe
a magia	magic
a superstição	superstition
a varinha mágica	magic wand
o tapete voador	flying carpet
a vassoura	broomstick
a bola de cristal	crystal ball
os tarot	tarot cards
as linhas da mão	lines of the hand
a lua cheia	full moon

os sonhos
dreams

o sonho	dream
o pesadelo	nightmare
a imaginação	imagination
o subconsciente	subconscious
a alucinação	hallucination
o despertar, o acordar	awakening

sabe (sabes) o que me aconteceu ontem?
do you know what happened to me yesterday?

tive um sonho lindo/pesadelo horrível
I've had a nice dream/ horrible nightmare

tem (tens) demasiada imaginação
you let your imagination run away with you

56. AS HORAS
THE TIME

os instrumentos de medição do tempo	things that tell the time
o relógio	clock
o relógio de pulso	watch
o despertador	alarm clock
o cronómetro	stopwatch
o relógio falante	speaking clock
o temporizador	timer
o relógio de campanário	clock tower
a campainha	bell
o relógio de sol	sundial
a ampulheta	hour-glass
os ponteiros	hands (of clock)
o ponteiro dos minutos	minute hand
o ponteiro das horas	hour hand
o ponteiro dos segundos	second hand
o fuso horário	time zone
o tempo médio de Greenwich (TMG)	Greenwich Mean Time (GMT)
a hora de Verão	Summer Time
a hora local	local time

que horas são?
what time is it?

é uma hora	it's one o'clock
são duas/três/onze horas	it's two/three/eleven o'clock
oito horas da manhã	eight am, eight (o'clock) in the morning
oito (horas) e cinco (minutos)	five (minutes) past eight
oito (horas) e um quarto	a quarter past eight
dez (horas) e trinta	ten thirty

dez (horas) e meia	half past ten
onze menos vinte, vinte para as onze	twenty to eleven
onze menos um quarto, um quarto para as onze	a quarter to eleven
doze (horas) e quinze (minutos)	twelve fifteen
duas horas da tarde, catorze [BP quatorze] horas	two pm, two (o'clock) in the afternoon
duas e trinta, catorze [BP quatorze] e trinta	two thirty (in the afternoon)
dez horas da noite, vinte e duas horas	ten pm, ten (o'clock) in the evening

as divisões do tempo | divisions of time

o tempo, a hora	time
o instante	instant
o momento	moment
o segundo	second
o minuto	minute
o quarto de hora	quarter of an hour
a meia- hora	half an hour
três quartos de hora	three quarters of an hour
a hora	hour
uma hora e meia	an hour and a half

o dia	day
o amanhecer, a aurora	dawn
a manhã	morning
o meio-dia	noon
a tarde	afternoon, evening
a noite	evening, night
o entardecer	dusk
o pôr do sol	sunset
a meia-noite	midnight

chegar atrasado/a horas | being late/on time

sair a horas	to leave on time
chegar cedo, estar adiantado	to be early, to be ahead of schedule
chegar a horas	to be on time
chegar a tempo	to arrive on time

estar atrasado	to be late
atrasar-se	to be behind schedule
despachar-se	to hurry (up)
estar com pressa	to be in a hurry

quando?   when?

quando	when
antes (de)	before
depois (de)	after
durante	during
enquanto	while
cedo	early
tarde	late

agora	now
neste momento	at the moment
de imediato	straightaway
imediatamente	immediately
já	already
em breve	shortly, presently, soon
há pouco	a short while ago
depois, então, a seguir	then
nesse momento	at that time, then
recentemente	recently
entretanto	meanwhile
por enquanto	for the time being
durante muito/pouco tempo	for a long/short time
há muito tempo	a long time ago
sempre	always
muitas vezes, frequentemente	often
nunca	never
por vezes, às vezes	sometimes

são duas horas (em ponto)
it's two o'clock (exactly)

encontramo-nos às quatro horas em ponto
we'll meet at four o'clock sharp

tem horas (certas)?
do you have the (exact) time?

a que horas fecham as lojas?
what time do the shops close?

são aproximadamente duas horas
it's about two o'clock

ele/ela chegou cerca das três
he/she arrived at around three

deve ter sido meia-noite quando ele/ela partiu
it must have been midnight when he/she left

o meu relógio adianta-se/atrasa-se
my watch is fast/slow

acertei o meu relógio
I've set my watch to the right time

não tenho tempo para sair
I haven't time to go out

veste-te depressa
hurry up and get dressed

ainda não são horas
it's not time yet

vou para a escola de manhã
I go to school in the morning

passei a manhã a estudar
I spent the morning studying

57. A SEMANA
THE WEEK

a segunda(-feira)	Monday
a terça(-feira)	Tuesday
a quarta(-feira)	Wednesday
a quinta(-feira)	Thursday
a sexta(-feira)	Friday
o sábado	Saturday
o domingo	Sunday
o fim-da-semana	weekend
o dia	day
a semana	week
quinze dias	fortnight
hoje	today
amanhã	tomorrow
depois de amanhã	the day after tomorrow
ontem	yesterday
a véspera	the day/evening before
o dia seguinte	the day after
dois dias depois	two days later
esta semana	this week
na próxima semana/semana que vem	next week
a semana seguinte	the following week
na semana passada	last week
a última semana	the last week
a segunda-feira passada	last Monday
a segunda-feira que vem	next Monday
o fim-da-semana passado	last weekend
o fim-da-semana próximo	next weekend
dentro de uma semana, de hoje a uma semana	in a week's time, a week today
dentro de duas semanas	in two weeks' time
ontem de manhã	yesterday morning

219

ontem à tarde/noite	yesterday afternoon/evening
esta manhã, hoje de manhã	this morning
esta tarde	this afternoon
esta noite, hoje à noite	this evening, tonight
amanhã de manhã	tomorrow morning
amnahã à tarde/noite	tomorrow afternoon/evening
há três dias	three days ago
durante o dia/a noite	during the day/night
dia por dia, dia a dia	day by day
em dias alternados, dia sim dia não	on alternate days

na quinta-feira fui à piscina
on Thursday I went to the swimming pool

vou à piscina à quinta-feira/nas quintas
on Thursdays I go to the swimming pool

vou à piscina todas as quintas-feiras/cada quinta-feira
I go to the swimming pool every Thursday

ele/ela vem ver-me todos os dias
he/she comes to see me every day

até amanhã!
see you tomorrow!

58. O ANO
THE YEAR

os meses do ano	the months of the year
Janeiro	January
Fevereiro	February
Março	March
Abril	April
Maio	May
Junho	June
Julho	July
Agosto	August
Setembro	September
Outubro	October
Novembro	November
Dezembro	December

o mês	month
o trimestre	quarter
o ano	year
a década	decade
o século	century
o milénio	millennium

as estações do ano	the seasons
a estação	season
a Primavera	spring
o Verão	summer
o Outono	autumn
o Inverno	winter

os dias festivos	festivals
o feriado	public holiday
a véspera do Natal	Christmas Eve
o Natal	Christmas

a véspera do Ano Novo, o Re-veillon	New Year's Eve
o Ano Novo	New Year's Day
a Epifania	Epiphany
a Terça-feira Gorda	Shrove Tuesday
a Quarta-feira de Cinzas	Ash Wednesday
a Sexta-feira Santa	Good Friday
a Páscoa	Easter
o Domingo de Páscoa	Easter Sunday
o Pentecostes	Whitsun
o Dia de São Valentim/dos Namorados	St Valentine's Day
o Dia das Mentiras	April Fools' Day
o aniversário	birthday

faço anos em Fevereiro
my birthday is in February

o Verão é a minha estação preferida
summer is my favourite season

chove frequentemente no Inverno/Verão
it often rains in the winter/summer

faz bastante calor na Primavera/no Outono
it's quite warm in spring/in autumn

See also sections **38 GREETINGS AND POLITE PHRASES, 56 THE TIME, 57 THE WEEK** *and* **59 THE DATE.**

59. A DATA
THE DATE

datar de	to date from
durar	to last
o presente	present
o passado	past
o futuro	future
a história	history
a Pré-História	prehistory
a Antiguidade	antiquity
a Idade Média	Middle Ages
o Renascimento	Renaissance
o século xv	15th century
a Revolução Francesa	French Revolution
a Revolução Industrial	Industrial Revolution
a Revolução dos Cravos	Carnation Revolution (Portugal 1974)
o século xx	twentieth century
mil, novecentos e noventa e quatro	1994
o ano 2000 (dois mil)	year 2000
dois mil e cinco	2005
a data	date
a cronologia	chronology
presente, actual	present, current
moderno	modern
contemporâneo	contemporary
passado	past
futuro	future
anual	annual, yearly
trimestral	quarterly
mensal	monthly
semanal	weekly
diário, quotidiano	daily

no passado	in the past
outrora, antigamente	in times past
antes, anteriormente	formerly
durante muito tempo	for a long time
nunca	never
sempre	always
por vezes	sometimes
quando	when
desde	since
novamente	again
ainda	still, yet
nessa época	at that time
a.C.	BC
d.C.	AD

que dia é hoje, quantos são hoje?
what date is it today?

é (o) dia/estamos a 1 de Junho de 2005
it's the first of June 2005

é (o) dia/estamos a 15 de Agosto
it's the 15 of August

em que dia faz (fazes) anos?
when is your birthday?

ele/ela volta no dia 16 de Julho
he/she'll be back on the 16th of July

ele/ela partiu há um ano
he/she left a year ago

era uma vez...
once upon a time, there was ...

See also sections **56 THE TIME, 57 THE WEEK** *and* **58 THE YEAR.**

60. OS NÚMEROS
NUMBERS

zero	zero, nought
um, uma	one
dois, duas	two
três	three
quatro	four
cinco	five
seis	six
sete	seven
oito	eight
nove	nine
dez	ten
onze	eleven
doze	twelve
treze	thirteen
catorze [BP quatorze]	fourteen
quinze	fifteen
dezasseis [BP dezesseis]	sixteen
dezassete [BP dezessete]	seventeen
dezoito	eighteen
dezanove [BP dezenove]	nineteen
vinte	twenty
vinte e um/uma	twenty-one
vinte e dois/duas	twenty-two
vinte e três	twenty-three
trinta	thirty
quarenta	forty
cinquenta	fifty
sessenta	sixty
setenta	seventy
oitenta	eighty
noventa	ninety
cem	a/one hundred
cento e um/uma	a/one hundred and one
cento e sessenta e dois/duas	a/one hundred and sixty-two
duzentos/as	two hundred

duzentos/as e dois/duas	two hundred and two
trezentos/as	three hundred
quatrocentos/as	four hundred
quinhentos/as	five hundred
seiscentos/as	six hundred
setecentos/as	seven hundred
oitocentos/as	eight hundred
novecentos/as	nine hundred
mil	a/one thousand
dois mil	two thousand
dois mil e dois/duas	two thousand and two
cinco mil	five thousand
dez mil	ten thousand
cem mil	a/one hundred thousand
um milhão	a/one million
mil milhões	a/one thousand million
um bilhão	a/one billion
primeiro/a	first
segundo	second
terceiro	third
quarto	fourth
quinto	fifth
sexto	sixth
sétimo	seventh
oitavo	eighth
nono	ninth
décimo	tenth
décimo/a primeiro/a	eleventh
décimo segundo	twelfth
décimo terceiro	thirteenth
décimo quarto	fourteenth
décimo quinto	fifteenth
décimo sexto	sixteenth
décimo sétimo	seventeenth
décimo oitavo	eighteenth
décimo nono	nineteenth
vigésimo/a	twentieth
vigésimo/a primeiro/a	twenty-first
vigésimo segundo	twenty-second
trigésimo/a	thirtieth

quadragésimo/a	fortieth
quinquagésimo/a	fiftieth
sexagésimo/a	sixtieth
septuagésimo/a	seventieth
octogésimo/a	eightieth
nonagésimo/a	ninetieth
centésimo/a	hundredth
centésimo/a vigésimo/a	hundred and twentieth
ducentésimo/a	two hundredth
milésimo/a	thousandth
último	last
o algarismo	figure
o número	number

mais ou menos trinta
about thirty

mil euros
one thousand euros

um milhão/dois milhões de libras
one million/two million pounds

uma vez/duas vezes/três vezes
once/twice/three times

dois vírgula três (2,3)
two point three (2.3)

cinquenta por cento
fifty percent

cinco mil, trezentos e cinquenta e nove (5 359)
5,359

Henrique Oitavo
Henry VIII (the Eighth)

João Paulo Segundo
John Paul II (the Second)

61. AS QUANTIDADES
QUANTITIES

calcular	to calculate
contar	to count
pesar	to weigh
medir	to measure
partilhar	to share
dividir	to divide
distribuir	to distribute
encher	to fill
esvaziar	to empty
retirar	to remove
diminuir	to lessen
reduzir	to reduce
baixar	to lower
aumentar	to increase
acrescentar	to add
bastar	to be enough
nada	nothing
tudo	everything
todo/a o/a..., todos/as os/as...	all the..., the whole...
cada	every
todos, todas as pessoas, toda a gente	everybody
ninguém	nobody
algo, alguma coisa, qualquer coisa	something, anything
uns, umas, algum/a, alguns, algumas, um pouco	some, a few
alguns, algumas, vários/as	several
cada, todos/as	each, every
pouco	little
poucos/as	few
um pouco	a little
muito/a	a lot, much

muitos/as	many, lots of
não mais, basta	no more
mais	more
menos	less
a maior parte (de), a maioria	most
bastante, suficiente	enough
demasiado	too much
cerca de, aproximadamente	about
quase	almost
mais ou menos	more or less
mal, apenas	scarcely, just
à justa	just
no máximo	at the most
mais uma vez	(once) again
apenas, somente	only
no mínimo	at least
a metade (de)	half (of)
um quarto (de)	a quarter (of)
um terço (de)	a third (of)
um/a e meio/a	one and a half
dois terços	two thirds
três quartos	three quarters
o todo	the whole
raro	rare
vários	numerous
inumerável, sem número	innumerable
igual	equal
desigual	unequal
suplementar	extra
cheio	full
vazio	empty
único	single
duplo	double
triplo	treble
um monte (de)	a heap (of)
um pedaço (de)	a piece (of)
uma fatia (de)	a slice (of)
um copo (de)	a glass (of)
um prato (de)	a plate (of)

uma caixa (de)	a box (of)
uma lata (de)	a tin (of)
um pacote (de)	a packet (of)
uma colherada (de)	a spoonful (of)
uma pitada (de)	a pinch (of)
um punhado (de)	a handful (of)
um par (de)	a pair (of)
um grande número (de), um montão (de)	a large number (of), masses (of)
uma multidão (de)	a crowd (of)
uma parte (de)	a part (of), a share (of)
meia dúzia (de)	half a dozen
centenas	hundreds
milhares	thousands
o resto (de)	the rest (of)
a quantidade	quantity
o número	number
a infinidade	infinity
a média	average

os pesos e as medidas

weights and measurements

a onça	ounce
o grama	gram
cem gramas	a hundred grams
a libra	pound
o quilo	kilo
a tonelada	ton
o litro	litre
a pinta	pint
o centímetro	centimetre
o metro	metre
o quilómetro	kilometre
a milha	mile

uma lata de coca-cola
a can of Coke

meio litro de leite
half a litre of milk

a cinco quilómetros
five kilometres away

See also section **60 NUMBERS.**

62. A DESCRIÇÃO DE OBJECTOS
DESCRIBING THINGS

o tamanho	size
a largura	width, breadth
a altura	height
a profundidade	depth
a beleza	beauty
o aspecto	appearance
a forma	shape
o defeito	defect
a vantagem	advantage
a desvantagem	disadvantage
grande	big, large
pequeno	small
enorme	enormous
minúsculo	tiny
microscópico	microscopic
largo	wide
estreito	narrow
espesso, grosso	thick
magro	thin
esbelto	slim
plano, liso, raso	flat
profundo	deep
pouco profundo	shallow
comprido	long
curto	short
alto	high, tall
baixo	low, short
encantador, charmoso	charming
bonito	lovely, beautiful
belo	beautiful, handsome
bom	good
giro, fofinho	pretty, cute
maravilhoso	marvellous

magnífico	magnificent
fantástico	fantastic
extraordinário	remarkable, extraordinary
excepcional	exceptional
excelente	excellent
perfeito	perfect
feio	ugly, bad
mau	bad
medíocre	mediocre
pior	worse
o pior	the worst
péssimo	very bad, awful
horroroso	appalling
terrível	dreadful
atroz	atrocious
defeituoso	defective
leve, ligeiro	light
pesado	heavy
duro	hard
firme	firm, solid
brilhante	shiny
robusto	sturdy
macio, mole	soft
terno	tender
delicado	delicate
fino	fine
liso	smooth
quente	warm, hot
frio	cold
tépido, morno	lukewarm
seco	dry
molhado	wet
húmido	damp
líquido	liquid
simples	simple
complicado	complicated
difícil	difficult
fácil	easy
prático	handy
útil	useful

inútil	useless
velho	old
antigo	ancient
novo	new
moderno	modern
antiquado	out of date
fresco	fresh, cool
limpo	clean
sujo	dirty
repugnante	disgusting
gasto	worn out
de alta/pobre qualidade	top-/poor-quality
curvo	curved
direito, recto	straight
redondo	round
circular	circular
oval	oval
rectangular	rectangular
quadrado	square
triangular	triangular
muito	very
demasiado	too
um tanto	rather
bem	well
mal	badly
melhor	better
o melhor	the best

como é?, que aspecto tem?
what's it like?

See also section **63 COLOURS.**

63. AS CORES
COLOURS

a cor	colour
amarelo	yellow
azul	blue
azul-celeste	sky blue
bege	beige
branco	white
castanho	brown
cinzento	grey
cor de carne	flesh-coloured
dourado	golden
malva	mauve
ouro	gold
prateado	silver
preto, negro	black
quase branco	off-white
rosa	pink
turquesa	turquoise
verde	green
vermelho, encarnado	red
violeta, roxo	purple
claro	light
escuro	dark
multicor	multicoloured
pálido	pale
uniforme, liso	plain
vivo, brilhante	bright
verde-claro/-escuro	light/dark green

de que cor é?
what colour is it?

64. OS MATERIAIS
MATERIALS

genuíno, verdadeiro	real
natural	natural
sintético	synthetic
artificial	artificial
o material	material
a composição	composition
a substância	substance
a matéria-prima	raw material
o produto	product
a terra	earth
a água	water
o ar	air
o fogo	fire
a pedra	stone
a rocha	rock
o minério	ore
o mineral	mineral
as pedras preciosas	precious stones
o cristal	crystal
o mármore	marble
o granito	granite
o diamante	diamond
o arenito	sandstone
a argila	clay
a ardósia	slate
o carvão	coal, charcoal
o petróleo	oil, petroleum
o gás	gas
o metal	metal
o alumínio	aluminium
o bronze	bronze
o cobre	copper

o latão	brass
a lata	tin-plate
o estanho	tin
o peltre	pewter
o ferro	iron
o aço	steel
o chumbo	lead
o ouro	gold
a prata	silver
a platina	platinum
o arame	wire
a madeira	wood
o pinho	pine
a cana	cane
o bambu	bamboo
o vime	wickerwork
a palha	straw
o aglomerado de madeira	plywood
o betão	(reinforced) concrete
o cimento	cement
o tijolo	brick
a argamassa, o gesso	plaster
a massa de vidraceiro	putty, plaster
a cola	glue
o vidro	glass
o cartão	cardboard
o papel	paper
o plástico	plastic
a borracha	rubber
a louça de barro	earthenware
a argila	clay
a porcelana	china, porcelain
o couro, o cabedal	leather
a cera	wax
a pele	fur
a camurça	suede
o acrílico	acrylic

o algodão	cotton
a renda	lace
a lã	wool
o linho	linen
o cânhamo	hemp
o nylon	nylon
o poliéster	polyester
a seda	silk
o tecido sintético	synthetic material
a fibra sintética	man-made fibre
a lona	canvas
o encerado	oilcloth
o tweed	tweed
a caxemira	cashmere
o veludo	velvet
a bombazina	cord

esta casa é de madeira
this house is made of wood

uma colher de pau
a wooden spoon

a Idade de Ferro
the Iron Age

65. AS DIRECÇÕES
DIRECTIONS

perguntar	to ask
apontar, indicar	to show, to point out
mostrar	to show
tome	take
continue	keep going
siga	follow
passe por	go past
retroceda, volte para trás	go back
recue	reverse
vire à direita	turn right
vire à esquerda	turn left

as direcções — directions

esquerda	left
direita	right
à esquerda	on/to the left
à direita	on/to the right
sempre em frente	straight ahead/on
onde	where
sobre	on, above
sob	under
ao longo de	along
ao lado de	beside, next to
no meio de	in the middle of
em frente de	in front of, opposite
atrás de	behind
no/ao fim de	at the end/bottom of

os pontos cardeais — the points of the compass

o sul	south
o norte	north

o (l)este	east
o oeste	west
o nordeste	north-east
o sudoeste	south-west
depois (de)	after
depois do semáforo	after the traffic lights
imediatamente antes	just before
durante... metros	for... metres
no próximo cruzamento	at the next crossroads
a primeira à direita	first on the right
a segunda à esquerda	second on the left

importa-se de me indicar o caminho para a estação?
can you tell me the way to the station?

como é que se vai para o Coliseu?
how do I get to the Coliseum?

fica longe daqui?
is it far from here?

fica a dez minutos daqui
ten minutes from here

a 100 metros (de distância)
100 metres away

a sul de Évora
south of Évora

Londres fica no sul da Inglaterra
London is in the south of England

66. AS ABREVIATURAS
ABBREVIATIONS

2ª/3ª/4ª/5ª/6ª (segunda-feira, terça-feira etc.)	Monday, Tuesday etc
a/c (ao cuidado de)	c/o
A.C.P. (Automóvel Clube de Portugal)	Portuguese Car Club
apart./apt. (apartamento)	apartment
Arqtº (Arquitecto)	Architect (*title*)
Av. (avenida)	avenue
BE (Bloco de Esquerda)	Left Wing party
BI (bilhete de identidade)	ID card
c/ (com)	with
Calç. (calçada)	paved street
Cia. (Companhia)	company
CM (Câmara Municipal)	Town Hall
CP (Caminhos de Ferro Portugueses)	Portuguese Railways
CP (caixa postal)	post box (*poste restante*)
CTT (Correios, Telégrafos e Telefones)	Portuguese Post Office
D. (Dona)	Mrs (*title of respect*)
D.O.C. (Denominação de Origem Controlada)	wine quality mark
Dom (domingo)	Sunday
Dr./Drª (Doutor/Doutora)	Doctor (*title*)
dto./dta. (direito/a)	right (*in addresses*)
ENATUR (Empresa Nacional de Turismo)	National Tourist Office
Engº (Engenheiro)	Engineer (*title*)
esq. (esquerdo/a)	left (*in addresses*)
EUA (Estados Unidos da América)	USA
Exmo/Exma. (Excelentíssimo/a)	Excellency (*title*)
GNR (Guarda Nacional Republicana)	National Guard
h (hora)	o'clock

HR (Hotel Residencial)	Guest House
IVA (Imposto sobre o Valor Acrescentado)	VAT
L./L° (Largo)	square
Lxª (Lisboa)	Lisbon
M (Metro)	metro, underground
Men.ª (Menina)	Miss
No. (número)	number
P./Pr. (Praça)	square
p/ (para)	for
PCP (Partido Comunista Português)	Communist party
PEV (Partido Ecologista Verde)	Green party
PP (Partido Popular)	Popular party
Prof. (Professor)	teacher (*title*)
PS (Partido Socialista)	Socialist party
PSD (Partido Social Democrático)	Social Democrat party
PSP (Polícia de Segurança Pública)	Public Security Police
PVP (preço de venda ao público)	retail price
R. (rua)	road, street
r/c (rés-do-chão)	ground floor
Rem./Remte. (remetente)	sender
RTP (Rádio e Televisão Portuguesa)	Portuguese Broadcasting Company
S./Sto./Sta. (São/Santo/Santa)	Saint
Sáb (sábado)	Saturday
s.f.f. (se faz favor)	please
SIDA [BP AIDS]	AIDS
Sr., Sra. (Senhor, Senhora)	Mr, Mrs
V. Exª (Vossa Excelência)	Your Excellency (*title*)

INDEX

Note that entries refer to chapter numbers rather than page numbers

INDEX

Note that entries refer to chapter numbers rather than page numbers

Note that entries refer to chapter numbers rather than page numbers

INDEX

Note that entries refer to chapter numbers rather than page numbers

Note that entries refer to chapter numbers rather than page numbers

INDEX

Note that entries refer to chapter numbers rather than page numbers

Note that entries refer to chapter numbers rather than page numbers

INDEX

Note that entries refer to chapter numbers rather than page numbers

Note that entries refer to chapter numbers rather than page numbers

INDEX

Note that entries refer to chapter numbers rather than page numbers

Note that entries refer to chapter numbers rather than page numbers

INDEX

Note that entries refer to chapter numbers rather than page numbers

Note that entries refer to chapter numbers rather than page numbers

INDEX

Note that entries refer to chapter numbers rather than page numbers